W9-CRT-943

Le Club des Cinq
et les papillons

Enid Blyton™

Le Club des Cinq et les papillons

Illustrations
Frédéric Rébéna

hachette
JEUNESSE

Claude

11 ans.
Leur cousine. Avec son fidèle chien
Dagobert, elle est de toutes
les aventures.
En vrai garçon manqué,
elle est imbattable dans tous
les sports et elle ne pleure
jamais… ou presque !

François

12 ans
L'aîné des enfants,
le plus raisonnable aussi.
Grâce à son redoutable sens
de l'orientation, il peut explorer
n'importe quel souterrain sans jamais se perdre !

Mick

11 ans comme Claude.
C'est un casse-cou (un gourmand aussi !)
qui n'hésite jamais avant de se lancer
dans les plus périlleuses aventures…

Annie

10 ans
La plus jeune, un peu gaffeuse,
un peu froussarde !
Mais elle finit toujours par
participer aux enquêtes,
même quand il faut affronter
de dangereux malfaiteurs…

Dagobert

Sans lui, le Club des Cinq ne serait rien !
C'est un compagnon hors pair, qui peut monter
la garde et effrayer les bandits.
Mais surtout c'est le plus attachant des chiens…

L'ÉDITION ORIGINALE DE CET OUVRAGE
A PARU EN LANGUE ANGLAISE
CHEZ HODDER & STOUGHTON, LONDRES,
SOUS LE TITRE :

FIVE GO TO BILLYCOCK HILL

© Enid Blyton Ltd
© Hachette Livre, 1991, 1999, 2008 pour la présente édition.
Traduction revue par Rosalind Elland-Goldsmith
Hachette, 58, rue Jean Bleuzen, 92178 Vanves Cedex.

chapitre 1

Cinq jours de vacances

— Où est la carte ? demande François. C'est celle-là, Claude ? Bon. On se met où pour l'étudier ?

— Sur le tapis, décide Annie. Une carte est toujours plus facile à lire par terre ! Déplaçons la table.

— Doucement ! s'écrie Claude. Papa travaille dans son bureau. Vous savez bien qu'il se met en colère chaque fois qu'on fait du bruit !

Avec précaution, ils poussent le meuble dans un coin du salon et déplient le document sur le sol. Ensuite, ils s'installent tout autour, les uns à genoux, les autres à plat ventre. Dagobert les considère d'un œil étonné : il pense qu'il s'agit d'un nouveau jeu et se met à aboyer.

— Chut ! souffle Mick. Tu t'es déjà fait gronder par l'oncle Henri ce matin. Et arrête de nous envoyer des coups de queue dans la figure !

— Ouah ! fait Dago en se couchant de tout son long sur la carte.

— Relève-toi ! s'énerve sa maîtresse, irritée. On est pressés. On doit étudier la route jusqu'au Mont-Perdu.

— Qu'est-ce qu'il y a d'intéressant là-bas ? questionne Annie.

— Des grottes magnifiques, répond François, et aussi une ancienne ferme où l'on élève maintenant des papillons.

— Tiens, ça doit être drôle à voir, remarque Claude.

— C'est sûr ! Grégory Thomas, l'un de nos copains de classe, m'en a parlé. C'est lui qui nous a conseillé d'aller passer quelques jours de vacances au Mont-Perdu, explique Mick.

— Pourquoi élève-t-on des papillons ? interroge sa sœur.

— Pour obtenir de beaux spécimens et les vendre, répond l'aîné du groupe.

— Je me suis souvent amusée à capturer des chenilles pour observer leur métamorphose, affirme Annie. C'est incroyable. Quand un joli papillon se dégage de la chrysalide, c'est vraiment merveilleux !

— Grégory m'a dit que les types qui dirigent cet élevage font volontiers visiter leur propriété, poursuit François. Il paraît qu'au Mont-Perdu, on trouve les plus rares espèces de papillons ; c'est pourquoi ces gens s'y sont installés. Ils passent la moitié de leur temps un filet à la main !

— Original ! estime son frère. Je suis content de revoir Greg : il est tellement drôle ! Ses parents exploitent une ferme au pied du Mont-Perdu.

— Et moi, je suis ravie de voir notre cher Club des Cinq de nouveau réuni pour les vacances ! annonce Claude.

Les quatre enfants suivent sur la carte les méandres de la route qu'ils vont bientôt parcourir. Tout à coup, une voix sort des profondeurs du bureau où travaille M. Dorsel, le père de Claude.

— Qui a rangé ma table ? Où sont mes papiers ? Cécile ! Cécile !

La porte de la petite pièce s'ouvre violemment, et M. Dorsel s'avance à grands pas dans le salon. Il ne voit pas les Cinq sur le tapis et trébuche sur sa fille. Dagobert, ravi, se met à aboyer. Il croit que, pour une fois, le père de sa maîtresse veut bien jouer avec eux.

— Aïe ! hurle Claude.

— Oncle Henri, on est désolés de t'avoir fait tomber, s'excuse François. Tais-toi, Dago, ce n'est pas un jeu.

Il aide son oncle à se relever et attend l'explosion. M. Dorsel se redresse, tout en le foudroyant du regard.

— Qu'est-ce que vous faites, vautrés par terre ? Il n'y a pas assez de chaises dans cette maison ? Où est ta mère, Claude ? Allez, debout ! Où est Sylvie ? Si elle s'est permis de ranger encore une fois mon bureau, je la mets à la porte.

Sylvie, la cuisinière, fait justement son entrée dans le salon. Elle essuie ses mains pleines de farine sur son tablier.

— Quel vacarme ! lance-t-elle.

Puis elle avise l'oncle Henri.

— Oh ! Excusez-moi. Je ne savais pas que c'était vous qui...

— Sylvie ! Avez-vous fait le ménage dans mon bureau, oui ou non ?

— Non, monsieur, répond calmement la cuisinière, habituée depuis longtemps aux manières brusques de son patron. Vous avez perdu quelque chose ? Rangez cette carte, les enfants, et remettez la table en place. Du calme, Dagobert ! Claude, s'il te plaît, fais sortir le chien, sinon ton père va se fâcher !

10

L'adolescente emmène son fidèle compagnon dans le jardin. François replie la carte en pouffant. Les autres s'empressent autour de leur cousine.

— Voilà maman ! s'exclame cette dernière.

En effet, Mme Dorsel revient du marché, avec son grand panier. Les jeunes vacanciers courent lui ouvrir le portail du jardin. Ils aiment beaucoup leur tante, toujours gentille et patiente. Elle leur sourit.

— Vous avez décidé du lieu de vos vacances ? questionne-t-elle. Vous allez pouvoir camper, par ce temps magnifique.

— Oui, répond François en prenant le cabas de sa tante pour le porter dans la maison. On ira au Mont-Perdu. Les parents de notre copain Grégory sont fermiers là-bas. Il a promis de nous prêter deux tentes et du matériel de camping. Du coup, on n'aura à emporter que nos sacs de couchage et quelques vêtements de rechange. Le strict minimum !

— C'est parfait ! approuve sa tante. En ce qui concerne la nourriture, vous comptez sans doute vous ravitailler à la ferme de M. et Mme Thomas ?

— Exact. On leur achètera des œufs, du lait, du beurre, du pain, etc. Et il paraît que les fraises sont déjà mûres dans cette région.

11

Tante Cécile hoche la tête.

— Je vois qu'il est inutile de se faire du souci pour vous. Bien entendu, vous emmenez Dagobert, qui vous protégera des rôdeurs. Hein, Dago ?

— Ouah ! confirme l'animal en agitant les oreilles.

— Mon toutou ! s'attendrit Claude en le caressant. Si tu n'étais pas là, nos parents ne nous laisseraient pas partir si souvent seuls !

Annie juge préférable de prévenir sa tante :

— Oncle Henri est de mauvaise humeur. Il veut savoir qui a fait le ménage dans son bureau...

— Je vais aller le voir tout de suite, déclare Mme Dorsel. Il a dû oublier qu'il a nettoyé lui-même sa table de travail hier soir. Il a peut-être jeté quelques-uns de ses précieux papiers dans la corbeille !

Les vacanciers éclatent de rire, tandis que tante Cécile se hâte vers l'antre de son terrible mari.

— Maintenant, préparons-nous ! décide Mick. On n'a pas grand-chose à emporter, mais il ne faut oublier ni les chaussures de randonnée ni les pulls chauds. Et prenons nos maillots de bain, au cas où on trouverait un lac. Il fait assez chaud

pour se baigner. Pensons aussi à la carte rou-
tière !

— Il nous faut des bougies et des allumettes,
ajoute Claude. Des bonbons, des biscuits...

— Si on emportait une petite radio ? suggère
Annie. On pourrait écouter de la musique.

— Bonne idée ! Moi, je vais sortir les vélos
du garage, annonce l'aîné des Cinq. Mick, va
chercher les sandwichs que Sylvie a préparés. La
route est longue ; sans provisions, on risquerait
d'avoir faim. Je pense qu'on n'atteindra pas le
Mont-Perdu avant quatre heures.

— Ouah ! Ouah ! jappe Dago.

— Il dit de penser à ses croquettes, traduit sa
maîtresse en riant. Je vais t'en chercher ! Mais
pendant le séjour, tu partageras le repas des
chiens de la ferme !

Sylvie leur remet un gros paquet contenant
des sandwichs et des gâteaux, ainsi qu'une bouteille de soda.

— Voilà de quoi calmer votre appétit. J'ai
même pensé à Dagobert. Des biscuits et un gros
os !

— Merci ! s'écrient les Cinq d'une même
voix.

— Allez ! intervient François. Les V.T.T. sont
prêts. Tout va bien, il n'y a aucun pneu crevé,
pour une fois.

13

En quelques minutes, les provisions disparaissent dans les sacs à dos, qui sont à leur tour ficelés sur les porte-bagages. Le chien bondit joyeusement autour du petit groupe. Le Club des Cinq est de nouveau réuni !

Mme Dorsel vient les regarder partir.

— Au revoir, mes chéris, lance-t-elle. Dagobert, veille sur eux !

L'oncle Henri apparaît à la fenêtre.

— Qu'est-ce qu'il y a encore ? vocifère-t-il, irrité de ne pouvoir travailler en paix. Ils s'en vont ? Nous allons enfin avoir un peu de tranquillité. Au revoir ! Soyez prudents !

— En route vers de nouvelles aventures ! s'écrie sa fille, tandis que le Club des Cinq s'éloigne à grands coups de pédales.

chapitre 2

En route pour le Mont-Perdu

Le soleil brille tandis que les jeunes vacanciers filent sur la route sablonneuse qui longe la baie de Kernach. Dagobert les suit aisément.

La petite île de Kernach se détache sur la mer d'un bleu profond, avec son vieux château qui dresse fièrement vers le ciel sa dernière tour intacte.

— C'est beau ! s'exclame Mick. Je regrette presque de ne pas passer les vacances ici. J'aurais bien aimé nager et me promener en bateau jusqu'à l'île de Claude !

— On pourra faire tout ça pendant l'été, assure son frère. C'est intéressant de découvrir

15

de nouveaux coins. D'après Grégory, les grottes d'Enfer sont splendides.

— Les grottes d'Enfer ? Brrr... fait la benjamine de la bande.

— Ce Grégory, c'est quel genre de garçon ? questionne la maîtresse de Dago. Annie et moi, on ne l'a jamais rencontré.

— C'est un farceur, répond Mick. S'il porte une fleur sur son pull et qu'il vous propose de sentir son parfum, je vous conseille de ne pas fourrer votre nez dedans !

— Pourquoi ? interroge innocemment sa sœur.

— Parce que, quand vous vous pencherez pour respirer la fleur, vous recevrez une giclée d'eau à la figure !

— Je ne m'entendrai jamais avec ce type-là, annonce Claude en fronçant les sourcils. S'il me fait ce genre de blague, je le lui ferai payer !

— Fais attention, si tu te fâches, il ne pensera plus qu'à une chose : te pousser à bout !

Ils ont maintenant quitté la baie de Kernach et suivent un chemin bordé d'aubépines. En ce début de juin, les coquelicots s'épanouissent dans les champs. Une douce brise tempère la chaleur du soleil ardent.

— On achètera des glaces dans le premier vil-

16

lage qu'on traversera, décide François quand ils ont parcouru une dizaine de kilomètres.

Ils arrivent au pied d'une colline.

— Elle est dure, cette côte, soupire Annie. Je me demande s'il vaut mieux la monter à vélo ou marcher en poussant nos V.T.T.

Dagobert cavale à toute allure jusqu'au sommet de la colline où il se couche, haletant, pour attendre ses amis.

Mick le rejoint bientôt et s'assied à côté de lui. Tous deux éprouvent un véritable bien-être à sentir la fraîcheur de la brise printanière.

Quand ses compagnons approchent, Mick déclare :

— Je vois un village en contrebas. On pourrait s'y arrêter ? J'espère qu'on trouvera un marchand de glaces.

Il y en a un, en effet. Le petit groupe s'installe sous un gros chêne pour savourer les cornets vanillés. Dago scrute sa maîtresse d'un œil interrogateur.

— Je n'en ai pas pris pour toi, dit Claude. Tu deviens trop gros !

L'animal baisse la tête d'un air si triste que la jeune fille s'empresse d'ajouter :

— Mais c'est vrai qu'avec la distance que tu vas parcourir aujourd'hui, tu vas sûrement maigrir. Allez, viens, je vais t'acheter un sorbet pour toi tout seul.

— Ouah ! glapit le chien avec enthousiasme.

Il bondit dans la boutique et pose ses grosses pattes sur le comptoir, à la grande surprise de la vendeuse. D'un coup de langue, la glace est avalée...

Après une halte de dix minutes, tout le monde se remet en mouvement. Parcourir la campagne fleurie est un véritable enchantement. Le Club des Cinq évite toujours les routes nationales, droites, monotones et trop fréquentées, et leur préfère les chemins de campagne, sinueux et pittoresques.

Trois quarts d'heure plus tard, Mick déclare :

— Puisqu'on n'arrivera au Mont-Perdu qu'en milieu d'après-midi, on déjeunera en route. Vers une heure on s'installera dans un joli coin.

— Ce pauvre Dag doit mourir de soif, constate Annie. Regardez-le tirer la langue ! On devrait s'arrêter près d'un ruisseau pour le faire boire.

— En voilà justement un là-bas ! lance sa cousine. Va vite te rafraîchir, mon toutou !

L'animal file vers le cours d'eau et boit à longs traits. Les enfants descendent de vélo et attendent qu'il ait terminé. Annie cueille un coquelicot et enroule la tige autour d'une mèche de ses cheveux. Dagobert avale une telle quantité d'eau que la fillette s'inquiète :

— Claude ! Empêche ton chien de boire plus. Il a le ventre tout gonflé.

— Tu exagères un peu, tempère l'adolescente. Bon, Dago, stop ! Viens ici !

Celui-ci avale une dernière gorgée, puis il trottine vers sa maîtresse en aboyant, tout joyeux.

Les jeunes campeurs repartent. Ils grognent parfois dans les côtes, mais quand ils dévalent des pentes, ils rient et s'amusent à pousser des cris d'Indiens.

Ils arrivent devant une colline plus haute que les précédentes. Annie la considère avec inquiétude, car elle commence à se sentir fatiguée.

— Courage ! lui dit François. On déjeunera là-haut. On aura une vue superbe et on se reposera un bon moment.

— Compte sur moi ! Demain matin, on sera tout courbatus, bougonne sa sœur.

Après avoir fourni un long effort, ils parviennent enfin au sommet. Quand ils découvrent le magnifique panorama qui s'offre à leurs yeux, ils se sentent récompensés de leur peine. Ils se laissent tomber dans l'herbe et admirent la vue.

Mais Dagobert n'est pas très sensible à la beauté du paysage et ne pense qu'à son déjeuner. Il va flairer le sac à dos attaché au V.T.T. de

Claude. Oui, c'est là que se trouve son os ! Il s'assure que personne ne le regarde, puis il tente d'ouvrir délicatement la fermeture Éclair du baluchon...

Annie entend le bruit de griffes de Dago sur la toile du sac.

— Hé ! s'écrie-t-elle scandalisée. Laisse nos sandwichs tranquilles !

Claude se lève aussitôt et scrute son chien d'un œil sévère. Ce dernier baisse le museau, et lève vers sa maîtresse des yeux dépités qui semblent dire :

— Excuse-moi, mais je voulais seulement ronger mon os !

La jeune fille sourit, rassurée. Elle se tourne vers sa cousine.

— Annie, dit-elle, depuis le temps que tu le connais, tu devrais savoir que Dagobert ne se permettrait jamais de toucher à nos provisions.

— Mais bien sûr ! Ton chien est parfait. Allez, j'ai faim, moi aussi, et si vous ne voulez pas déjeuner maintenant, je vais faire comme Dag, prendre ma part sans m'occuper des autres !

— Tu penses bien qu'on va te tenir compagnie ! réplique Mick avec un clin d'œil.

Ils déballent leurs provisions et dévorent leur casse-croûte à pleines dents. La bouteille de soda passe de main en main.

— C'est vraiment agréable de pique-niquer en altitude, constate Claude entre deux bouchées. Regardez, cette colline là-bas a une drôle de forme. Elle est plus grosse que les autres. Ce ne serait pas le Mont-Perdu ?

— D'après Grégory, le Mont-Perdu a un peu l'aspect d'un vieux chapeau, répond François.

— Mais oui ! C'est bien ça ! Je vais prendre les jumelles pour mieux voir.

Chacun veut en faire autant. Quand vient le tour de Mick, il fait observer :

— Si c'est bien le Mont-Perdu, il n'est pas loin maintenant.

— Peut-être, à vol d'oiseau, mais en réalité on a une longue route en lacet à parcourir, prévient son frère. Qui veut un autre sandwich ?

— Il n'en reste plus, annonce Annie. Au tour du gâteau !

Quand ils ont avalé leurs parts de tarte, les Cinq sortent un paquet de bonbons. Dagobert fait comprendre qu'il en veut un.

— Mais tu les avales sans les goûter ! se lamente Claude. Ce n'est vraiment pas la peine !

Elle donne tout de même un bonbon à son chien.

— Si on faisait une petite sieste ? propose Mick en s'allongeant dans l'herbe.

21

— Bonne idée ! approuvent les trois autres.

Ils conviennent de dormir une demi-heure, pas plus. Tout le monde s'assoupit. Dago garde une oreille aux aguets, au cas où quelqu'un approcherait. Mais personne ne vient troubler leur repos. Tout est si calme, sur la colline, que plus de trois quarts d'heure s'écoulent avant que François, sentant un insecte monter le long de son bras, ne sursaute, arraché à son rêve. Il regarde sa montre.

— Annie ! Mick ! Claude ! Levez-vous ! Il faut partir, sinon on n'arrivera pas pour l'heure du goûter.

Bientôt ils dévalent la pente à toute allure en poussant leurs fameux cris d'Indiens, mêlés aux aboiements de Dagobert. C'est toujours merveilleux, le début des vacances !

chapitre 3

La ferme du Mont-Perdu

Finalement, les jeunes campeurs pédalent avec tant d'ardeur qu'ils arrivent au Mont-Perdu plus tôt que prévu. Dagobert souffle beaucoup. Pour lui permettre de se reposer, le petit groupe a dû s'arrêter à peu près tous les quarts d'heure.

— Dommage qu'il soit si gros, déplore Annie. Si c'était un petit chien, on aurait pu le prendre à tour de rôle sur nos porte-bagages !

Le Mont-Perdu se précise devant eux. En effet, il est bizarrement découpé et rappelle, avec un peu d'imagination, un chapeau déformé. Isolée, éloignée de tout, la colline porte bien son nom. Près du sommet, un troupeau de moutons broute

23

l'herbe rare. Plus bas, dans des pâturages verts et drus, paissent des vaches. Au pied est blottie une chaumière.

— C'est la ferme des parents de Grégory, annonce François. Il n'est que trois heures et demie. On est en nage et tout poussiéreux : lavons-nous la figure dans un ruisseau. Dag, tu peux te baigner si tu veux !

L'eau fraîche leur fait du bien. Ils aimeraient imiter le chien, qui se laisse porter par le courant.

— Je me sens mieux, constate Mick en s'essuyant le visage et le cou. Greg a promis de nous prêter le nécessaire pour camper. J'espère qu'il n'a pas oublié qu'on débarque aujourd'hui !

Annie sort un peigne de son sac et tous se coiffent soigneusement, secouent leurs vêtements. Puis, se jugeant présentables, ils prennent le chemin de la ferme. Ils arrivent bientôt en vue du bâtiment principal. Les poules picorent dans la cour, les canards pataugent dans une mare. Les chiens se mettent à aboyer de loin. Un petit animal rond et rose surgit de la maison et se précipite vers les enfants.

— Qu'est-ce que c'est que ça ? interroge la benjamine du groupe, toute surprise. Oh ! mais c'est un petit cochon ! Qu'il est mignon ! Regardez comme il est propre !

Le porcelet pousse des cris aigus très comiques. Il fonce sur Dagobert, qui se demande s'il s'agit ou non d'une sorte de chien assez laid, sans poils, et assez impoli pour le bousculer ainsi. Afin de rappeler à l'ordre cet étourdi, il gronde en faisant sa plus inquiétante grimace.

François s'esclaffe.

— Calme-toi, Dag ! le rassure-t-il. Cette bête est inoffensive.

C'est alors qu'un petit garçon d'environ cinq ans s'avance vers eux. Il a de belles boucles blondes, de grands yeux bruns et un gentil sourire. Mick et son frère pensent aussitôt que l'enfant doit être le cadet de la famille.

— C'est mon petit cochon, affirme le blondinet en s'approchant. Il s'est sauvé !

Annie sourit.

— Il s'appelle comment ?

— Dudule.

— On est bien à la ferme du Mont-Perdu ? questionne François. Tu as un frère qui s'appelle Grégory ?

— Oui, c'est ça ! Il est là-bas, dans la grange, avec Clairon. Ils chassent les rats.

— Merci !

L'enfant s'éloigne avec son compagnon tout rose.

— Clairon... C'est un nom de chien, commente Claude. Il vaut mieux se méfier. Viens, Dagobert !

— Tu as raison, approuve François. Reste ici pour le moment. Mick, suis-moi ! On va voir si Greg est dans la grange.

— J'attendrai ici avec Claude, décide Annie, que la chasse aux rats ne tente absolument pas.

Quand Mick et François approchent du bâtiment, ils reconnaissent la voix de leur ami qui crie :

— Attrape-le, Clairon, il est sous le sac ! Oh ! tu l'as encore laissé filer.

Des aboiements lui répondent, puis les garçons entendent le bruit d'un bâton qui s'abat sur le sol.

Très intrigués, ils pénètrent dans la grange qui leur paraît sombre. Ils voient leur camarade, rampant parmi des sacs, en compagnie d'un très beau chien – un colley écossais au museau fin et aux longs poils noirs et blancs – qui jappe sans arrêt.

— Salut ! lance François.

L'interpellé se relève et tourne vers les nouveaux venus une figure rouge et couverte de sueur.

— Vous voilà ! se réjouit-il en accourant. Je me demandais si vous aviez renoncé à venir.

Où sont les autres ? J'ai préparé des tentes et du matériel pour quatre !

— Ma sœur et ma cousine attendent dehors, avec notre chien. Tu crois que le tien acceptera sa présence ? demande Mick avec un peu d'inquiétude.

— Tout ira bien si je les présente l'un à l'autre, assure Grégory

Ils sortent tous. Quand Clairon aperçoit Dago, il s'arrête net, se raidit et émet un grondement sourd, tandis que les poils de son cou se hérissent.

— Amenez votre chien ici ! crie le jeune fermier aux cousines. Clairon n'est pas méchant.

Claude s'avance prudemment, en tenant son fidèle compagnon par le collier. Celui-ci paraît hésitant devant cet imposant congénère. Grégory se penche et murmure à l'oreille de Clairon :

— Donne la patte, c'est une amie.

Puis il s'adresse à la jeune fille :

— Tends-lui la main !

La maîtresse de Dagobert s'exécute, et le colley ne fait aucune difficulté pour lui donner la patte.

— À toi, maintenant ! lance Grégory à Annie.

Cette dernière trouve Clairon très sympathique avec ses beaux yeux bruns et son museau allongé.

— Est-ce que votre chien est capable de dire bonjour aussi poliment ? À mon colley, par exemple ?

— Évidemment ! affirme Claude. Dago, donne la patte ! ordonne-t-elle, incertaine du résultat.

Celui-ci la regarde, surpris. Il hésite un instant, puis pose la patte sur celle de Clairon. Les deux animaux s'interrogent du regard. D'un coup, Dagobert éclate en bavardages compliqués faits de jappements et de petits cris savants. L'autre lui répond dans la même langue, et tous deux détalent à travers la cour ; ils se pourchassent en aboyant à tue-tête, se roulent par terre... De toute évidence, ils s'amusent comme des fous !

— Vous voyez, ils s'adorent ! lance Grégory, ravi. Clairon est un chien super, sauf pour la chasse aux rats ! Venez voir ma mère. Elle vous a préparé un bon goûter.

Tout s'annonce pour le mieux. Annie observe le nouvel ami des Cinq.

« Il a l'air sympa », pense-t-elle.

Quant à Claude, elle se méfie, car il porte une marguerite sur son pull... Va-t-il lui demander de la sentir ?

— Tout à l'heure, on a vu un blondinet dans

la cour, dit Annie. Il se promenait avec un petit cochon.

— C'est mon frère Nicolas et son ami Dudule, explique Grégory en riant. On lui a proposé un chien ou un chat, mais il n'en a pas voulu. Il ne s'intéresse qu'à son cochon ! Ils vont partout ensemble. Les petits frères sont généralement très embêtants, mais le mien est vraiment génial.

— Les sœurs aussi sont casse-pieds quelquefois, affirme Mick en lançant un regard perfide à Annie, qui lui envoie aussitôt une bonne bourrade.

La mère de Grégory, Mme Thomas, est une personne souriante, qui leur fait un accueil chaleureux.

— Entrez. Mon fils est très content que vous veniez camper dans notre région. Il a préparé les tentes et le matériel nécessaire. Vous pourrez vous ravitailler ici en œufs, lait, pain, beurre et tout ce que vous voudrez parmi les produits de la ferme. N'ayez pas peur de demander ce qu'il vous faut.

À ce moment-là, on entend le claquement léger de minuscules pattes sur les pavés de la cour, et le porcelet entre dans la cuisine, suivi de son jeune maître.

— Eh bien ! s'exclame la fermière. Voilà encore cet insupportable animal. Nicolas, tu

29

sais bien que tu n'as pas le droit de l'amener ici. Un chat ou un chien, passe encore, mais un cochon !

L'enfant paraît tout confus.

— Ne te fâche pas, maman... articule-t-il. Aujourd'hui, il n'est pas sale. Oh ! poursuit-il, en lançant vers la table des regards d'envie. Quel beau gâteau ! On peut goûter ?

— Bien sûr ! répond Mme Thomas. Asseyez-vous, les enfants. Vous voulez du chocolat chaud ?

— Je préfère boire du lait froid, dit François qui a remarqué près de lui un pot de lait particulièrement crémeux.

Les quatre invités regrettent d'avoir copieusement déjeuné. Un superbe jambon trône sur la table, une énorme tarte aux fraises voisine avec un pot de miel doré...

— Dommage que je n'aie pas très faim, soupire Mick. Ce n'est pas un goûter, c'est un repas complet !

— Greg, sers tes amis, suggère sa mère. Et Nicolas, mets ce cochon par terre, ou je me fâche !

— Dudule aura beaucoup de chagrin s'il reconnaît sur la table un jambon de son grand-père ! ajoute Grégory malicieusement.

Très inquiet, l'enfant s'empresse de poser le

porcelet sur le sol. Celui-ci va s'étendre auprès de Dagobert, qui accepte sa compagnie sans protester.

C'est un goûter très joyeux. Annie, assise près de Nicolas, trouve l'enfant adorable.

— On dirait un personnage de conte de fées, remarque-t-elle à voix haute.

Quand tout le monde s'est restauré, Mme Thomas dit à son fils aîné :

— Montre à tes amis les tentes et le matériel de camping que tu as préparés pour eux. Ensuite, ils choisiront un endroit où s'installer.

— Venez avec moi, lance le garçon. Je vais vous aider à transporter vos affaires et à chercher un coin agréable sur les hauteurs. J'aimerais bien pouvoir camper avec vous !

chapitre 4

Un bon coin pour camper

Grégory a entreposé le matériel de camping dans une remise. Il y conduit ses camarades suivis de Nicolas et de son porcelet. Clairon trotte à côté de Dagobert. Les deux chiens s'amusent parfois à se pousser l'un l'autre, comme de jeunes écoliers !

François et Mick examinent les deux tentes pliées, avec leurs cordes et leurs piquets de fixation.

— C'est parfait ! conclut l'aîné du groupe. Tu as même pensé à nous prêter une casserole et une poêle !

— Oui, confirme Grégory. Vous voyez,

33

cette casserole est très bien. Elle a différents usages...

Il l'attrape et en coiffe son petit frère, qui se met à pousser des cris épouvantables ! Le porcelet s'enfuit, terrorisé.

Annie jette un regard de reproche à leur nouvel ami et s'empresse d'enlever à Nicolas son étrange coiffure. Puis elle s'efforce de le calmer. C'est difficile.

— Dudule s'est encore sauvé ! constate l'enfant entre deux sanglots.

Il se jette sur son frère, qui rit aux éclats, et le martèle de ses petits poings.

— Tu es méchant, Greg ! Je te déteste !

— Laisse-moi. Va vite chercher ton cochon, riposte l'autre, repoussant l'enfant coléreux.

Celui-ci s'éloigne en courant à toute vitesse sur ses petites jambes grassouillettes.

— On est débarrassés de lui pour un moment, commente le jeune fermier. J'espère n'avoir rien oublié. Vous avez apporté des lampes de poche ? Des bougies ? Des allumettes ?

— Oui, répond Mick. Et aussi des pulls chauds et des maillots de bain, pour faire face à tous les caprices du temps. Je vois que tu as prévu des duvets...

— Exact ! Il peut pleuvoir et faire froid. Je vais vous aider à fixer tout ça sur vos vélos.

Après quelques tentatives malheureuses pour empiler les tentes et le reste sur les V.T.T., Grégory juge plus pratique de leur prêter une charrette, dans laquelle ils casent tout aisément.

— On reviendra prendre nos bicyclettes plus tard, décide Claude.

— Laissez-les ici. Elles sont à l'abri et en sécurité. Je vais chercher un paquet que maman a préparé pour vous : du jambon, des œufs frais, du pain et du beurre.

— C'est vraiment gentil de sa part, affirme l'aîné des Cinq avec reconnaissance. On t'attend. Mick et moi, on tirera la charrette. Vous êtes tous d'accord pour camper le plus haut possible ? On aura une meilleure vue !

— Oui, acquiescent les autres.

Grégory revient avec un gros paquet. Son petit frère, peu rancunier, le suit, un panier de fraises au bras.

— Je les ai cueillies pour toi, annonce Nicolas, en tendant le panier à Annie.

— Elles sont très belles ! constate la fillette, touchée par la gentillesse du garçonnet.

Elle l'embrasse.

— Est-ce que je pourrai venir avec Dudule quand vous serez installés ? interroge-t-il. Je voudrais lui montrer comme c'est drôle, une tente.

— Vous serez tous deux les bienvenus, assure la benjamine des Cinq en riant.

— En route ! lance François.

Avec l'aide de Mick, il pousse le chariot le long du chemin. Dagobert et Clairon ouvrent la marche, les autres suivent. Nicolas accompagne le groupe sur une courte distance, puis Grégory le renvoie.

— Tu sais ce qu'a dit maman, lui rappelle-t-il. Rentre à la ferme. Il sera tard quand je reviendrai avec Clairon.

Les yeux de l'enfant s'embuent de larmes, mais il ne proteste pas. Il prend son compagnon dans les bras et, la tête basse, s'en retourne vers la maison.

— Nicolas est tellement mignon, confie Annie. Je voudrais bien avoir un petit frère comme lui.

— C'est vrai qu'il n'est pas trop embêtant, reconnaît Grégory en se rengorgeant comme si, en réalité, il en était très fier. Un peu pleurnichard, bien sûr. Je le taquine pour l'endurcir.

— Il a du caractère, commente Mick en riant. C'était tellement drôle de le voir te boxer des deux poings quand tu lui as mis la casserole sur la tête !

— Oui, il est très amusant. Et il a une vraie passion pour les animaux. Il y a deux ans, un agneau le suivait partout. L'agneau est devenu un gros mouton très encombrant... L'année dernière, il s'était attaché à deux oisons. Les oisons sont devenus de grosses oies, qui continuaient à l'accompagner partout. Elles entraient dans la maison et montaient l'escalier pour le rejoindre dans sa chambre !

— Et cette année, il a choisi un petit cochon ! ajoute Claude qui trouve aussi le jeune garçon très mignon. Le plus incroyable, c'est que Dagobert semble adopter Dudule...

Ils continuent à escalader la colline, en suivant un sentier étroit. La charrette bute contre les cailloux. Il faut bientôt quatre ou cinq paires de bras pour la tirer.

— Vous comptez monter encore plus haut ? questionne enfin Grégory qui n'en peut plus. J'espère que vous n'avez pas l'intention de camper au sommet ? Vous seriez trop exposés au vent.

— Non, assure Mick. On veut seulement s'installer assez haut pour avoir une belle vue. Si on se reposait tous un peu, avant de faire un dernier effort ?

Ils s'asseyent, heureux de pouvoir reprendre leur souffle. Le panorama est déjà splendide. Autour d'eux se dessinent des collines entourées de pâturages verts piquetés de boutons d'or. Des ruisseaux coulent, semblables de loin à des fils d'argent. Les bois étalent leurs taches sombres.

— Qu'est-ce qu'il y a là-bas ? interroge Claude en pointant le doigt vers l'ouest.

— C'est un petit aéroport, explique Grégory. Ultra-secret. On y essaie des prototypes. Je le sais, parce que mon cousin Roland est un aviateur attaché à cette base aérienne. Il vient nous voir de temps en temps et nous parle de son travail, qui le passionne.

— Il fait quoi, exactement ? demande Annie.

— Des expériences avec de nouveaux modèles d'avions. Ce sont souvent des monoplaces. Ne soyez pas surpris d'entendre des détonations quand ils franchissent le mur du son...

— Je voudrais bien visiter ce champ d'aviation, déclare Mick. Je veux devenir pilote quand je serai grand !

— Je te présenterai à mon cousin alors, promet Grégory. Il acceptera peut-être de te faire monter dans l'un de ses appareils.

— Je serais très content de faire sa connaissance !

— Allez, intervient François. Remettons-nous en route. On n'ira pas bien loin. La vue peut difficilement être plus belle qu'ici.

Pendant que les trois garçons tirent la charrette à bras, Claude et Annie partent à la recherche d'un emplacement favorable au camping. Mais c'est Dagobert qui le déniche. Espérant trouver un ruisseau pour se désaltérer, il repère bientôt une source qui jaillit entre de grosses pierres et se perd dans la verdure. Des joncs poussent le long de son parcours.

— Venez voir l'endroit merveilleux que Dago a trouvé ! crient les cousines tout en observant le chien qui boit l'eau claire à grandes lampées.

Les garçons lâchent le chariot pour aller les rejoindre.

— Idéal pour camper, affirme Mick, enchanté. Une belle vue, de l'herbe tendre pour s'asseoir, des genêts pour s'abriter et de l'eau.

Tout le monde approuve ce choix. On vide la charrette. Pourtant, les campeurs ne se décident pas à monter les tentes ce soir-là.

Annie déballe les provisions. Il faut installer une sorte de garde-manger, dans un coin bien frais. Elle se dirige vers la source, écarte des pierres et de hautes herbes. Une cavité dans le roc lui paraît convenir parfaitement. Annie, satisfaite de sa trouvaille, commence à déposer les bouteilles de lait et le reste des victuailles dans ce réfrigérateur improvisé. Claude vient voir ce qu'elle fait et se met à rire.

— Eh bien, glousse l'adolescente, tu devrais accrocher une serviette-éponge près de la source,

39

car chaque fois qu'on viendra chercher des provisions, on se fera rincer !

— Dis à ton chien qu'il retire sa tête de mon garde-manger. Ça ne m'étonne pas qu'il soit tout trempé. Allez, Dag, va te secouer plus loin !

Grégory les quitte à regret. Il lui faut regagner la ferme pour le dîner.

— À demain, lance-t-il à ses amis. Si je pouvais, je resterais ici avec vous !

Il s'éloigne avec Clairon.

— Il est sympa, constate Annie, mais c'est tellement agréable se retrouver entre nous. Vive le Club des Cinq ! C'est le coin le plus agréable qu'on ait trouvé pour camper !

chapitre 5

Un visiteur matinal

François consulte sa montre.

— Huit heures ! Il est temps de dîner, annonce-t-il. Mais on a tellement bien goûté chez les parents de Greg que je n'ai pas faim. Par contre, je suis très fatigué. Pas vous ?

— Si, reconnaissent les trois autres.

— Ouah ! fait Dagobert.

— Cette longue course à vélo, suivie de cette interminable escalade avec la charrette, m'a épuisé, reconnaît Mick avec un soupir. Je propose qu'on se contente d'un simple sandwich et qu'on couche à la belle étoile. Pas besoin de tente ce soir. La brise est tiède.

— Bonne idée, approuve Claude. On a du

41

pain, du beurre, du fromage et les fraises de Nicolas.

— Ce sera bien suffisant, après tout ce qu'on a ingurgité aujourd'hui, déclare François. Mais d'abord, allons repérer l'endroit le plus confortable pour dormir. Je sens que si je m'assois maintenant, je n'aurai plus le courage de repartir.

Ils inspectent les environs et voient des genêts, devant lesquels s'étend de la bruyère, compacte mais aussi élastique que le meilleur matelas.

Mick se roule dedans.

— Voilà ce qu'il nous faut, s'écrie-t-il en riant.

Ils mangent quelques sandwichs tout en admirant le paysage. Le soleil baisse à l'horizon. Quand les fraises sont englouties, ils étendent leurs sacs de couchage sur la bruyère. Il fait encore clair.

— Bonne nuit, lance l'aîné du groupe, qui ferme les yeux et s'assoupit aussitôt.

— Bonne nuit, répond son frère.

Il reste appuyé sur le coude, pour admirer les reflets rougeoyants du crépuscule. Dagobert s'installe entre Annie et Claude, sur une couverture ; il tourne en rond un bon moment pour y creuser sa place.

— N'oublie pas que tu es de garde, lui rappelle sa maîtresse. Je doute qu'on soit dérangés ici, mais on ne sait jamais. Et tiens-toi tranquille, ou je t'envoie dormir plus loin ! Bonne nuit, Annie !

Sur ces mots, l'adolescente s'endort. Son chien ne tarde pas à l'imiter. Il est très fatigué de sa longue course. La benjamine des Cinq reste les yeux ouverts et contemple longtemps le ciel aux tons changeants et l'étoile du Berger, si brillante ce soir-là. Elle se sent heureuse.

« Je ne veux pas grandir, pense-t-elle. Il n'y a rien de mieux que notre Club des Cinq. On s'amuse tellement bien ! Non, vraiment, je ne veux pas grandir ! »

Elle ferme enfin les yeux et sombre dans le sommeil.

La nuit tombe. Les étoiles apparaissent une à une. Seuls le murmure de la source et parfois le lointain aboiement d'un chien troublent le silence. Les heures passent.

Le lendemain matin, un ronflement de moteur réveille tout le monde.

François examine longuement un petit avion qui survole la colline.

— Il vient sans doute de l'aéroport qu'on a aperçu hier, analyse-t-il. Eh ! Vous savez qu'il est neuf heures dix ? On a fait le tour du cadran !

— Tant mieux ! déclare Mick. Je vais dormir encore un peu !

43

— Non, réplique son frère en le secouant. Regarde, il fait un temps splendide. Il faut en profiter. On s'est assez reposés. Hep ! Annie ! Claude ! Vous êtes réveillées ?

— Bien sûr, cet avion m'a tirée de mon rêve, réagit sa cousine en se frottant les yeux.

Annie se lève déjà. Quant à Dagobert, il est en train de suivre la piste d'un lapin.

— Je vais faire ma toilette à la source, annonce la benjamine de la bande.

Le soleil brille dans un ciel absolument pur. La brise souffle doucement. Tandis qu'ils se lavent à l'eau fraîche du ruisseau, Dagobert revient de sa promenade et s'approche pour boire à grands coups de langue. Claude et Mick font du feu pendant que François et Annie préparent le chocolat chaud.

Quand ils ont dévoré leurs tartines, Dagobert se met à aboyer, du ton qu'il prend d'ordinaire pour annoncer l'arrivée d'un ami. Les jeunes vacanciers entendent Clairon, qui lui répond de loin. Bientôt, le chien de Grégory apparaît. Il commence par donner un bon coup de tête à Dagobert en signe d'amitié, puis il fait le tour des enfants pour se faire caresser.

— Salut ! lance le jeune fermier qui contourne les genêts. Inutile de vous demander si vous avez bien dormi : je vois que vous venez seulement de terminer votre petit-déjeuner ! Moi, je suis debout depuis six heures du matin. J'ai trait les vaches, donné le grain aux poules et ramassé les œufs.

Les cinq se regardent avec étonnement. Ils se sentent confus. Leur camarade travaille vraiment dur !

— Je vous ai apporté du lait frais et du gâteau, déclare-t-il en posant son sac par terre.

— C'est très sympa de ta part, dit François. Bien entendu, on paiera tout ce que tu nous fourniras. Tu sais combien on doit pour les provisions d'hier et pour celles de ce matin ?

— Ma mère ne veut rien accepter. Mais comme je sais que vous tenez à payer, je vais vous faire une proposition : je mettrai l'argent dans une tirelire et j'achèterai ensuite un cadeau à maman, de votre part à tous. Qu'est-ce que vous en dites ?

— C'est une bonne idée, approuve Claude. Fais ton compte, on va te payer tout de suite.

— Bon, acquiesce Grégory. Voyons ça...

Il tire de sa poche un crayon et un bout de papier, et se plonge dans les chiffres.

Pendant ce temps, les autres lavent les tasses dans l'eau de la source, et Mick range les nouvelles provisions dans le garde-manger installé par Annie.

45

Le jeune fermier remet à Claude une note bien écrite que cette dernière règle aussitôt. Grégory marque « payé » au bas de la note et déclare en la remettant à la jeune fille :

— Voilà comment on fait dans le commerce. Merci beaucoup. Quels sont vos plans pour la journée ? Vous voulez visiter les superbes grottes d'Enfer, ou bien la ferme des Papillons ? À moins que vous ne préfériez passer la journée chez nous ?

— On ira chez toi un autre jour, décide François qui craint de déranger Mme Thomas. On visitera les grottes avant notre départ, mais aujourd'hui il fait tellement beau qu'on aime mieux rester au grand air. Qu'est-ce que vous en pensez, les filles ?

Avant qu'elles aient le temps de répondre, Clairon et Dagobert se mettent à aboyer en direction d'un buisson de genêts.

— Va voir qui approche ! ordonne Claude à son chien.

Celui-ci fait le tour des arbrisseaux, suivi du colley. Les enfants entendent alors une voix surprise :

— Clairon ? Qu'est-ce que tu fais si loin de chez toi ?

— C'est M. Franck, l'un des propriétaires de la ferme des Papillons, annonce Grégory. Il se promène souvent dans les parages avec son filet, à la recherche des spécimens rares.

Un homme s'approche d'eux ; il est grand, d'allure gauche, avec un visage osseux, des lunettes aux verres épais et des cheveux peu soignés qui lui pendent sur le front. Il porte sur l'épaule un grand filet à papillons. Lorsqu'il aperçoit le groupe, il s'arrête.

— Bonjour, Grégory, lance-t-il.

— Bonjour, monsieur, je vais vous présenter mes amis, répond le garçon fièrement. Voici Claude Dorsel et ses cousins, François, Michel et Annie Gauthier.

— Ravi de vous connaître.

Derrière les lunettes brillent de petits yeux malicieux.

— Trois garçons et une fille ! poursuit-il. Vraiment, Grégory, tes amis me font bonne impression.

Le visage de Claude s'illumine d'un grand sourire. Une fois de plus, on l'a prise pour un garçon ! Rien ne peut lui faire plus plaisir.

— Monsieur Franck, dit-elle, on aimerait vous rendre visite et voir vos papillons.

— D'accord, jeune homme, répond l'éleveur, les yeux pétillants de joie. Tout de suite si vous voulez. Suivez-moi !

chapitre 6

La ferme
des Papillons

M. Franck leur fait prendre un sentier brous-
sailleux ; il faut vraiment connaître le chemin
pour ne pas se perdre. Après quelques minutes
de descente, les jeunes vacanciers entendent une
sorte de glapissement, puis une petite voix qui
crie :

— Greg ! Greg ! Je suis là. Je peux vous
accompagner ?

— C'est ton frère et son petit cochon,
s'exclame Annie, amusée de les voir trotter l'un
derrière l'autre.

Dagobert court en direction de Dudule et le
flaire longuement. Cet animal l'intrigue énormément.

— Nico ! Qu'est-ce que tu fais ici ? interroge le jeune fermier sévèrement. Tu sais bien que tu ne dois pas t'éloigner de la maison. Un jour, tu te perdras...

— Dudule s'est sauvé, affirme l'enfant en regardant son grand frère avec des yeux implorants.

— Dis plutôt que tu voulais savoir où j'étais parti, et que tu m'as cherché avec ton cochon !

— Non ! Dudule s'est échappé et il courait vite ! insiste Nicolas dont le regard se remplit de larmes.

— Tu es un voyou ! Ton Dudule te sert de prétexte pour courir partout, bien que maman te l'interdise. Enfin, puisque tu es là, suis-nous. On va visiter la ferme des Papillons. Et si Dudule s'éloigne encore une fois, laisse-le. Je commence à en avoir assez de cette bestiole !

— Je vais le prendre dans mes bras, promet son frère.

Mais il doit bien vite le reposer à terre ; le cochon crie si fort que les deux chiens s'approchent de lui, très inquiets, et se mettent à aboyer.

— Est-ce que vos papillons ont peur des cochons et des chiens ? demande naïvement Nicolas à M. Franck.

— Ne pose pas de questions stupides ! gronde Grégory.

Puis il aperçoit quelque chose qui lui fait pousser une exclamation de surprise. Il saisit l'éleveur par le bras.

— Regardez ce papillon ! lance-t-il. Vous ne voulez pas l'attraper ? C'est un spécimen rare, non ?

— Pas du tout, rétorque l'autre froidement. C'est un papillon des prairies, très répandu. Vous n'avez donc rien appris à l'école ?

— Vous devriez donner des cours pour nous apprendre à distinguer les différentes espèces d'insectes, riposte Grégory, railleur. Nos professeurs sont complètement nuls.

— Tais-toi ! souffle François qui se rend compte que M. Franck fronce les sourcils et semble prêt à se fâcher. Il y a vraiment des spécimens rares par ici ?

— Oui, répond l'éleveur, rasséréné. C'est pourquoi M. Rousseau, mon associé, et moi nous avons acheté une vieille ferme dans la région pour faire de l'élevage.

À ce moment, il fait un bond de côté et bouscule Claude.

— Excuse-moi, mon garçon. Il y a une « Vanesse atalante » sur ce buisson. C'est la

51

première que je vois cette année. Laissez-moi passer !

Les enfants et les chiens s'écartent, pendant que l'homme s'approche sur la pointe des pieds d'un insecte aux grandes ailes chatoyantes, où dominent le noir et le rouge feu. D'un coup précis, le filet s'abat, emprisonnant le papillon affolé. M. Franck s'empare de lui et le montre à ses jeunes accompagnateurs.

— Regardez bien. C'est une femelle. Elle pondra des tas d'œufs qui deviendront de grosses chenilles et...

Il fait passer adroitement sa proie dans une boîte qu'il porte en bandoulière.

— Vite, monsieur Franck, il y a un papillon encore plus beau là-bas ! s'écrie Claude. Il a des ailes noires à reflets verts et des taches rouges. Je suis sûre qu'il vous intéressera !

— C'est un Paon de jour. M. Rousseau et moi, nous en avons suffisamment et celui-ci n'est pas remarquable. Mais j'aimerais bien trouver encore une ou deux Vanesses. Vous voulez m'aider à chercher ?

Les enfants scrutent autour d'eux avec la plus grande attention et secouent les buissons sur leur chemin. Dagobert et Clairon, intrigués, se mettent à flairer partout, sans savoir d'ailleurs vraiment ce qu'ils cherchent. Malgré cette incertitude, ils s'amusent énormément.

M. Franck, repris par sa passion, met longtemps à regagner sa ferme ; les enfants commencent à regretter sérieusement de l'avoir suivi, quand enfin ils aperçoivent les serres qui abritent l'élevage.

— Venez, dit M. Franck. Je vais vous montrer nos plus beaux spécimens. Mon associé est absent aujourd'hui, je ne pourrai pas vous le présenter.

La maison est tellement vieille et mal entretenue qu'elle semble sur le point de s'écrouler. Deux carreaux sont cassés et des tuiles manquent sur le toit. Les serres, en revanche, sont en bon état, et exhibent leurs vitres nettes et brillantes sous le soleil. De toute évidence, les éleveurs de papillons attachent plus d'importance à leurs insectes qu'à leur propre logis !

— Vous vivez seul ici, avec votre associé ? questionne Mick, curieux.

— Non. Nous avons une vieille cuisinière, déclare l'homme. Rousseau et moi, on ne sait même pas faire cuire un œuf ! Sans Jeanne, on mourrait de faim ! Son fils vient quelquefois pour faire des réparations et nettoyer les carreaux des serres. Tenez, la voilà qui met le nez à la fenêtre.

53

Elle déteste les insectes, et refuse de s'approcher des papillons.

Une femme âgée, l'air revêche, les observe en effet depuis l'intérieur de la maison.

Grégory sourit.

— Mes parents la connaissent, car elle vient nous acheter du lait et des œufs, affirme-t-il. Elle est plutôt ronchon mais elle n'est pas méchante.

Toute la bande s'engouffre dans la serre la plus proche, à la suite de M. Franck.

Lorsqu'ils sont tous entrés, les Cinq restent sans voix devant le spectacle féerique qui s'offre à leurs yeux. Des centaines de papillons multicolores volent dans cette immense cage de verre. D'autres sont enfermés dans des compartiments, seuls ou par deux. Les jeunes vacanciers constatent que de nombreuses plantes poussent là. Sur certaines d'entre elles, on a installé des sortes de manchons de mousseline, noués à chaque extrémité. Mick s'approche de l'un d'eux.

— Qu'est-ce qu'il y a, là-dedans ? interroge-t-il. Tiens ! C'est plein de chenilles. On dirait qu'elles sont en train de manger.

L'éleveur dénoue l'un des côtés du manchon de mousseline, pour que les visiteurs puissent mieux voir.

— Ce sont les chenilles d'une seule espèce de papillons : une variété de Mars, aux reflets changeants, explique-t-il. Elles se nourrissent exclusivement de feuilles de saule.

Les enfants observent avec curiosité les asticots qui dévorent les feuilles de la branche enfermée dans la mousseline.

M. Franck ouvre un autre long manchon pour leur montrer d'énormes chenilles, avec des raies rouges et une curieuse petite corne noire à l'extrémité du corps.

— Sphinx du laurier rose, annonce-t-il fièrement. Ces papillons sont verts, veinés de mauve. À côté, nous élevons une variété plus belle encore, le Sphinx à tête de mort : de petites taches sur son thorax figurent effectivement une tête de mort. Vous en avez déjà vu ?

Les jeunes campeurs secouent la tête.

— Venez par ici, je vais vous en montrer, décide leur hôte.

Il les conduit près des compartiments installés sur un des côtés de la serre. Dans une grande boîte à couvercle transparent, deux Sphinx à tête de mort étalent la splendeur de leurs ailes brunes et dorées autour d'un thorax marqué du signe macabre.

— Et qu'est-ce que vous pensez de ces Lycènes de satin bleu ? continue l'éleveur en désignant le compartiment voisin.

La visite se poursuit pendant plus d'une heure.

Les enfants sont émerveillés de voir réunis tant de papillons, tous plus beaux les uns que les autres. Ils examinent avec curiosité les diverses chrysalides, semblables à de petites momies emmaillotées. M. Franck leur apprend que, suivant les espèces, les futurs papillons restent dans cet état de chrysalide pendant une période allant de quelques jours à plusieurs mois. En attendant qu'il en sorte l'insecte parfait, les chrysalides reposent dans des boîtes.

— J'ai quelquefois l'impression d'être un sorcier, et que mon filet à papillons est ma baguette magique, confie l'éleveur, dont les yeux brillent étrangement derrière ses lunettes.

On sent que cet homme est entièrement pris par sa passion, et que pour lui rien n'est plus merveilleux que la métamorphose d'une chenille en papillon.

— Il fait vraiment chaud, ici, constate François en s'épongeant le front. Si on sortait ? Merci pour la visite, monsieur Franck ! Au revoir !

Ils quittent la serre, heureux de respirer l'air frais du dehors. Alors, une voix criarde retentit derrière eux et les fait sursauter :

— Allez-vous-en ! Déguerpissez tout de suite !

chapitre 7

Les plaisanteries de Grégory

Dagobert grogne et Clairon s'empresse de l'imiter. Les enfant se retournent. Ils aperçoivent la vieille Jeanne, l'air égaré, sur le pas de la porte ; des mèches de cheveux gris pendent sur son front.

— Qu'est-ce qu'il y a ? lui demande François très surpris. On n'a rien fait de mal !

— Mon fils ne veut pas voir d'étrangers ici ! déclare-t-elle.

— Mais cette maison appartient à M. Franck ! rétorque Mick.

— Je vous dis que mon fils est furieux quand des inconnus viennent ici, reprend-elle en leur montrant le poing.

57

Dagobert trouve ce geste très déplaisant et commence à grogner plus fort. Aussitôt Jeanne pointe l'index vers le chien et se met à débiter une longue litanie de mots incompréhensibles. Annie recule, inquiète. Cette acariâtre cuisinière lui fait penser à une sorcière en train de jeter un sort !

Le chien a une réaction bizarre. Il baisse l'oreille, cesse de gronder et se rapproche craintivement de Claude. Voyant cela, sa maîtresse le prend par le collier et s'enfuit avec lui à toutes jambes, suivie de sa cousine. Les garçons éclatent de rire. Grégory s'adresse alors à la vieille dame :

— Votre fils n'est même pas là. Pourquoi nous demander de partir ?

Elle se trouble. Deux larmes coulent le long de ses joues. Elle articule à voix basse :

— Il est brutal... Il me fait peur. Allez-vous-en tout de suite ! S'il arrive, il vous chassera. C'est un méchant homme !

— Elle est devenue folle, je crois, commente le jeune fermier, navré. Son fils vient de temps en temps à la maison pour réparer le toit ou faire différents travaux pour mon père. En fait, il est très adroit... Partons !

Ils rattrapent les filles. L'aîné des Cinq est perplexe.

— Comment est l'associé de M. Franck ? interroge-t-il.

— Je n'en sais rien. Je ne l'ai jamais vu, répond Grégory. Il est presque toujours absent de la ferme des Papillons. Il s'occupe de la vente des papillons.

— D'après l'état de leur maison, je doute que l'élevage de papillons rapporte beaucoup, avance Mick. J'aurais bien voulu revenir ici encore une fois, mais je n'aime pas ce M. Franck. Il a des yeux tellement perçants et tellement vifs qu'on se demande si vraiment il a besoin de ses grosses lunettes !

François taquine sa cousine :

— Alors, Claude, tu as eu peur que cette bonne femme ensorcelle ton chien ? Qu'elle le change en souris ?

— Pas du tout ! proteste la jeune fille en devenant toute rouge. Mais je n'ai pas aimé la façon dont elle a pointé l'index vers lui... Il a eu l'air bouleversé ! Je ne remettrai jamais les pieds chez M. Franck. Qu'est-ce qu'on fait, maintenant ?

— On retourne à notre camp et on déjeune ? suggère Annie. Viens avec nous, Greg !

— D'accord. Je serai ravi de partager un repas avec vous. Il doit faire bon, en haut du Mont-Perdu !

59

Ce jour-là, le jeune fermier se montre particulièrement farceur. Ses camarades manquent de s'étrangler de rire, tant il est drôle. Son numéro le plus réussi est celui de l'araignée...

Pendant que les filles s'éloignent pour aller chercher les provisions près de la source, le malicieux Grégory tire de sa poche une énorme araignée en plastique, très bien imitée avec ses longues pattes qui s'agitent au moindre souffle. Il la suspend à une branche par un fil de nylon très fin. Mick sourit en voyant ces préparatifs.

— Attends un peu qu'Annie l'aperçoive ! glousse-t-il. Claude n'a pas peur des araignées, mais il faut avouer que celle-ci est d'une taille impressionnante.

La benjamine des Cinq ne remarque l'insecte qu'au dessert. Elle savoure ses fraises à la crème, lorsque soudain ses yeux s'écarquillent et son visage affiche une expression horrifiée. La faucheuse se balance doucement au bout de son fil, juste au-dessus de la tête de Claude.

— Ooooh ! s'écrie-t-elle, éperdue. Claude, fais attention ! Il y a une araignée monstrueuse au-dessus de toi !

— Claude a peur des araignées ? intervient Grégory d'un air futé. Elle est comme toutes les filles, alors !

L'adolescente lui lance un regard noir.

— Je me moque bien des araignées, rétorque-t-elle d'une voix tranchante.

— Ah ! bon. Sinon, je serai obligé de t'appeler Claudine. C'est ton vrai nom, je crois ?

— Claude, pousse-toi vite de là ! insiste Annie, angoissée. Elle pend juste au-dessus de tes cheveux... Elle est énorme ! C'est peut-être une tarentule !

À ce moment précis, la brise souffle plus fort. L'insecte factice bouge comme s'il était vivant. François et Mick dominent mal leur fou rire. La maîtresse de Dago, intriguée, mais bien résolue à ne pas quitter sa place, lève la tête lentement... Quand elle constate la taille de l'araignée, elle bondit, comme si elle était sur ressort, et s'effondre sur Grégory. Il y a, dans la collision, un beau gâchis de fraises à la crème...

— Allez, Claudine, réagit le jeune fermier avec un large sourire railleur. Tu as pourtant dit que tu n'avais peur de rien...

Il essaie de récupérer quelques fraises, doit y renoncer et se console en poursuivant la plaisanterie :

— Je vais l'enlever de là, et tu pourras retourner à ta place, dit-il.

— Non, non ! N'y touche pas, supplie la benjamine du groupe. Un insecte de cette taille est peut-être venimeux et...

Mais l'autre, calme et grave, va décrocher le câble de nylon entortillé à la branche et balance la faucheuse sous le nez d'Annie, qui recule précipitamment. Puis il dépose l'attrape-nigaud sur les genoux de Mick. Dagobert vient le flairer. Clairon l'imite, veut mordre l'araignée factice et en brise le fil.

Son maître lui donne une tape.

— Ma belle mygale ! se lamente-t-il

— Quoi ? C'est une mygale ? s'exclame Annie, horrifiée.

Grégory, souriant, la remet tranquillement dans sa poche.

Claude comprend alors que l'insecte est en plastique. Elle fixe sur le plaisantin un œil étincelant de colère.

— Alors c'était une farce ? hurle-t-elle. Toi, tu me le paieras ! C'est nul ! Tu savais qu'Annie a peur des araignées.

— Changeons de conversation, intervient François précipitamment. Qu'est-ce qu'on fait de notre après-midi ?

— Moi, j'ai envie de me baigner, enchaîne Mick sur le même ton. Par ce temps splendide, si on était à Kernach, on aurait sûrement passé l'après-midi dans l'eau...

— Oui, c'est *bien* dommage qu'on ne soit

pas restés à Kernach, ajoute Claude en regardant Grégory avec insistance.

— Eh bien, si vraiment vous avez envie de nager, je peux vous conduire à un très joli étang, déclare le jeune fermier pour faire oublier sa mauvaise plaisanterie.

— Un étang ? Où ça ? questionnent quatre voix.

— Du côté de l'aéroport. Cette source, où vous prenez de l'eau, coule jusqu'au pied du Mont-Perdu, se joint à deux ou trois autres ruisseaux et forme un petit bassin. Je vous préviens, l'eau est froide ! Mais je vais quand même y faire un plongeon de temps en temps.

— Moi, cette idée me plaît, approuve l'aîné des Cinq. Mais on ne peut pas se baigner tout de suite après le repas. Si on se reposait un peu ?

— Oui, c'est bon de faire une petite sieste après le déjeuner, surtout quand il fait chaud, acquiesce Claude.

Une heure plus tard, ils se mettent en route.

— On a bien fait d'emporter nos maillots de bain, constate Annie avec plaisir. Mais toi, Greg, tu vas faire comment ?

— Le chemin qui conduit au lac ne passe pas loin de la ferme. Je ferai un crochet pour aller chercher mon short.

Ils descendent la colline, en direction de la base aérienne.

Depuis le matin, aucun bruit de moteur n'est venu troubler le calme de la campagne.

— Ce terrain ne semble pas avoir une grande activité, commente Mick.

— Attends qu'ils commencent leurs expériences avec les nouveaux avions dont parle mon cousin. Alors, tu les entendras franchir le mur du son, à chaque vol d'essai.

— Est-ce que ton cousin nous fera visiter le champ d'aviation ? questionne François.

— Oh ! oui, ce serait super ! s'exclame Claude.

— Mais tu es une fille, réplique Grégory, toujours taquin. Les filles ne comprennent rien aux avions, aux voitures, aux bateaux... ni même aux araignées ! Non ? À mon avis, ça ne t'intéressera pas, ma chère Claudine.

— Ne m'appelle pas Claudine, et encore moins « ma chère Claudine » ! proteste l'adolescente, furibonde.

— Vous avez fini de vous chamailler, tous les deux ? interrompt François, excédé. Greg, on approche de ta ferme. On l'a vite descendue cette côte si dure à grimper !

— Viens, Clairon, on va faire la course jusqu'à la maison. À tout à l'heure ! lance le jeune fermier gaiement. Continuez tout droit, jusqu'à ce gros pin que vous apercevez là-bas. Je vous rattraperai.

Il se met à courir, tandis que ses camarades ralentissent le pas. Au moment où le Club des Cinq atteint le pin, Grégory surgit par-derrière, hors d'haleine.

— Encore quelques pas, annonce-t-il, et vous verrez l'étang sur la gauche.

En effet, un petit étang bleu apparaît bientôt, miroitant au soleil. Il est bordé d'un côté par un rideau d'arbres, de l'autre par des joncs. Tout joyeux, les enfants se dirigent vers lui. Mais il s'arrêtent devant un écriteau cloué sur un arbre :

BAIGNADE INTERDITE
DANGER

— Qu'est-ce que ça veut dire ? s'étonne Mick. Greg, tu nous as encore fait une blague !

— Ce n'est pas sympa de ta part, renchérit François. Tu savais certainement qu'on ne pouvait pas se baigner ici !

— Ne vous inquiétez pas, répond tranquillement le jeune fermier. Cet écriteau ne veut rien dire du tout. Ignorez-le !

chapitre 8

Grégory est incorrigible

— Qu'est-ce que tu veux dire ? interroge Annie, sceptique.

— Il y a des écriteaux de ce genre un peu partout autour de l'aéroport : *Défense d'entrer, Danger,* etc. Mais, en réalité, c'est un endroit tranquille. Il n'y a rien de dangereux ici, seulement des avions.

— Ton cousin ne t'a pas expliqué pourquoi on a mis tous ces avertissements ? Il doit y avoir une raison !

— Ils sont là depuis des années. Ils étaient peut-être utiles dans le temps, mais maintenant ça n'a plus aucun sens. Vous pouvez vous baigner ici, croyez-moi ! affirme Grégory avec conviction.

Les Cinq se regardent, indécis. L'eau bleue est si tentante...

— Bon. J'espère que tu sais ce que tu fais, conclut enfin Mick. Après tout, le champ d'aviation n'est même pas clôturé pour empêcher les gens d'approcher. Je ne crois pas non plus qu'il y ait un réel danger.

— Alors ne perdons pas de temps, décide Claude, qui adore nager.

Cinq minutes plus tard, ils plongent dans l'étang, assez profond. La fraîcheur de l'eau leur paraît délicieuse. Dagobert et Clairon les suivent en nageant vigoureusement. Les vacanciers s'amusent à les éclabousser. Dago se met à aboyer.

— Tais-toi ! le rabroue Grégory aussitôt.

— Hein ? Pourquoi ? intervient Claude.

— Heu... Quelqu'un de la base aérienne pourrait l'entendre, explique l'autre, légèrement embarrassé.

— Tu nous as dit qu'on pouvait se baigner ici.

— Oui, mais mieux vaut ne pas faire de bruit.

L'adolescente plonge sous l'eau, saisit le jeune fermier par les pieds et le tire au fond. Quand ce

68

dernier revient à la surface, il est rouge et suf-
foquant.

— Vengeance ! jubile Claude en prenant le
large. Je t'avais bien dit que tu paierais pour ta
mauvaise blague !

Quand il a retrouvé son souffle, Grégory veut
la poursuivre ; mais l'autre nage plus vite que lui ;
il fait le tour de l'étang sans réussir à l'attraper.

— Grégory a bien mérité une leçon, estime
Mick. Maintenant, il réfléchira avant d'exhiber
des araignées pour faire enrager les filles !

Quand Dagobert voit le garçon poursuivre
sa maîtresse, il commence à aboyer et Clairon
l'imite.

— Chut ! Clairon ! crie Grégory. Je te dis de
te taire !

Mais avant que le chien n'obéisse, une voix
grave résonne :

— Alors, vous ne savez donc pas lire ?
Qu'est-ce qu'on vous a appris à l'école ?

Les cinq enfants se retournent. Ils aperçoivent
un homme grand, fort et bronzé, portant des
lunettes d'aviateur, qui leur désigne l'écriteau.

François s'arme de courage et nage dans
sa direction. Il regrette bien d'avoir écouté
Grégory.

— Excusez-nous, commence-t-il. On a pensé
qu'il n'y avait aucun danger...

69

— Sortez de là ! Et en vitesse ! vocifère le trouble-fête.

Ils se hâtent d'obéir à cet ordre péremptoire. Pour ne rien arranger, Dago et Clairon vont se secouer si près du pilote que celui-ci doit reculer.

— Ce sont vos chiens qui m'ont alerté par leurs aboiements, déclare-t-il.

Il avise alors Grégory.

— Dis donc, on s'est déjà rencontrés plusieurs fois, n'est-ce pas ? Il n'y a pas si longtemps que tu es venu rôder autour des hangars avec ce stupide animal.

Le garçon devient rouge. Traiter de stupide animal son majestueux colley ! Enfin, ce n'est pas le moment de discuter.

— Ce jour-là, j'étais venu voir mon cousin, le lieutenant Thomas, explique-t-il. Je ne faisais rien de mal !

— J'en parlerai au lieutenant, avertit l'aviateur. Il est interdit d'approcher de la base aérienne. Il y a des panneaux partout.

— Mais pourquoi ? Vous préparez une opération secrète ? questionne le jeune fermier, un sourire en coin.

— Tu crois que je te le dirais, si c'était le cas ? riposte le pilote en haussant les épaules. Partez, et ne revenez plus. Les ordres sont les ordres !

L'aîné des Cinq s'avance.

— On ne se baignera plus ici, promet-il. On regrette de vous avoir fait faire tout ce chemin pour nous avertir.

L'homme le considère d'un œil soudain radouci, puis il sourit.

— Très bien, acquiesce-t-il. Et moi, je regrette d'interrompre votre baignade par une journée si chaude. Si ce garçon (il désigne Grégory) obtient du lieutenant Thomas la permission de se baigner ici à des heures déterminées, je n'y vois pas d'inconvénient.

— Merci beaucoup, poursuit François, mais ce n'est pas la peine : on n'est dans la région que pour quelques jours.

L'aviateur s'éloigne.

— Séchons-nous, décide Mick. Ensuite, on ira demander quelques provisions supplémentaires à ta mère.

Grégory avance prudemment :

— Je pense pouvoir obtenir de mon cousin la permission de nager dans ce lac. Est-ce que ça vous ferait plaisir ?

— On ne restera pas assez longtemps pour ça. Il aurait fallu y penser plus tôt, souligne François. Mais on veut bien faire connaissance avec ton cousin, à l'occasion.

— Il nous fera peut-être monter en avion,

71

ajoute le jeune fermier, qui espère ainsi se faire pardonner. Regardez qui arrive !

Nicolas approche du groupe au pas de course, son petit cochon dans les bras.

— Je suis venu vous chercher, explique-t-il. Maman vous attend pour le goûter.

— Bonne nouvelle ! lance Annie.

Elle prend le garçonnet par l'épaule et lui demande :

— Pourquoi tu ne poses pas ton cochon par terre ? Il doit être très lourd !

— Il se sauve tout le temps. Alors, je le porte.

— Mets-lui un collier et une laisse comme à un chien, suggère Mick. Il paraît que les cochons qui cherchent les truffes s'habituent très bien à être tenus en laisse.

— C'est impossible. Regarde Dudule, il n'a pas de cou, fait observer l'enfant.

En effet, le porcelet est si gras que sa tête et son corps ne font qu'un, sans trace de cou !

Tout le monde prend la direction de la ferme. Finalement le cochon trottine en tête. Il semble ravi de conduire la troupe et pousse de petits cris aigus. Dagobert le croit en difficulté. Il court le rejoindre et lui donne de légers coups de tête amicaux, comme pour le consoler.

Mme Thomas, de sa fenêtre, voit approcher le groupe.

— J'ai pensé que vous seriez contents de goûter ici aujourd'hui, car nous avons un visiteur de marque, annonce-t-elle.

— Qui c'est ? interroge son fils aîné en se précipitant dans la maison. Ah ! C'est Roland ! François, Mick, venez vite. Je vous présente mon cousin Roland Thomas, lieutenant d'aviation ! Roland, voici mes amis : François, Annie, Claudine... heu... je veux dire Claude, Mick et Dagobert.

Un grand et beau jeune homme, au regard clair, s'avance vers eux en souriant Les Cinq le trouvent très sympathique. Ils comprennent pourquoi Grégory en est si fier. Ils voudraient bien avoir, eux aussi, un cousin comme celui-là.

— Bonjour, fait l'aviateur. Enchanté de faire votre connaissance... Tiens ! Salut, toi !

Cette dernière phrase s'adresse à Dagobert qui, sans hésiter, vient de lui tendre la patte.

— C'est bizarre, commente Claude. Mon chien n'agit pas comme ça, d'habitude. Vous devez lui plaire beaucoup.

— Comment vas-tu ? demande le jeune homme, avec le plus grand sérieux, tout en serrant la patte de Dago.

chapitre 9

Roland

— J'aime les chiens, annonce l'aviateur en caressant Dagobert. Celui-ci a l'air particulièrement intelligent.

Claude approuve, ravie. Elle voit d'un bon œil tous ceux qui complimentent son chien.

— Oui, il est extraordinaire, confirme-t-elle. Il a participé avec nous à un tas d'aventures. Quand il croit que quelqu'un va nous attaquer, il devient féroce. Regardez-le. Il veut encore vous donner la patte !

Roland lui tend de nouveau la main, puis Dagobert se couche à son côté, comme si le pilote était son meilleur ami. Claude ne se montre pas jalouse, pour une fois, car le jeune homme lui fait très bonne impression.

— Parlez-nous de votre travail, fait Mick. Il est bizarre, votre champ d'aviation, non ? Il n'est protégé par aucune clôture, on y voit peu d'avions et peu d'allées et venues. Vous volez souvent ?

— Non, pas en ce moment, répond Roland. Mais ne vous laissez pas duper par le fait qu'il n'y a pas de barrières : il y a des gardes partout, mais ils restent cachés. Dès que quelqu'un s'aventure sur la base aérienne, ils en informent le commandant.

— Vraiment ? fait Claude. Vous voulez dire que votre commandant sait qu'on est allés se baigner dans l'étang cet après-midi ?

— Bien entendu, assure le lieutenant Thomas en riant. Vous avez été observés un certain temps sans vous en douter. Puis, un de nos pilotes a été chargé de découvrir qui vous étiez et pour quelle raison vous vous trouviez là.

Les Cinq échangent des regards inquiets. Observés ? Comment ? Par qui ? Le jeune aviateur refuse de donner des précisions.

— Je ne peux rien vous dire, ajoute-t-il. Mais ne vous inquiétez pas, tout va bien pour vous.

En prononçant ces mots, il regarde sa tante, qui sourit d'un air mystérieux. Elle invite tout le monde à prendre place autour d'une table bien garnie. Les garçons demandent à Roland des quantités d'explications sur les avions et le pilotage.

— Tu pourrais nous emmener faire un tour dans un de tes appareils ? questionne Grégory.

— Ce serait très difficile d'obtenir une autorisation, explique son cousin. Je regrette de vous décevoir, mais je préfère ne pas la demander. Vous comprenez, il ne s'agit pas d'avions de tourisme, mais de prototypes. On les utilise pour faire des expériences et améliorer les techniques de vol.

— Bien sûr, s'empresse de dire François, qui se rend compte de l'embarras du jeune aviateur. Lors de votre prochain vol, vous croyez qu'on pourra vous voir de la colline ?

— Oui, avec des jumelles. Mon avion porte le numéro 5790. Il est peint sous la carlingue. Mais ne vous attendez pas à me voir faire des loopings ou des tonneaux !

— On vous guettera, promet Mick, qui envie à Grégory un cousin si étonnant. Vous ne nous verrez probablement pas, mais on vous fera signe quand même !

Claude s'avise soudain que Nicolas a posé son porcelet dans le panier du chat, Fifi.

77

— Le minou doit être furieux quand il voit ça, commente-t-elle.

— Pas du tout, assure Mme Thomas. Il a l'habitude. L'année dernière, il trouvait souvent les deux oisons de Nicolas dans sa corbeille. L'année précédente, c'était un petit agneau. Fifi ne paraissait pas s'en étonner. Un jour, je l'ai trouvé couché auprès des oisons et ronronnant très fort...

— C'est une bonne bête ! dit Grégory. Où est-il ? Je voudrais bien voir sa réaction devant Dudule. Il ne pourrait pas partager son panier avec lui, en tout cas : ce cochon est trop gros.

La conversation se concentre de nouveau sur les avions. De toute évidence, Roland aime son métier par-dessus tout et en parle si bien qu'en l'écoutant les trois garçons décident que, plus tard, ils seront aviateurs...

Nicolas, pour sa part, s'intéresse bien plus aux animaux qu'aux avions. Il avale son goûter tout en observant son porcelet de temps à autre et soudain dit à sa mère :

— Dudule s'est encore sauvé. Il est parti du côté de la rivière.

— Je t'ai déjà défendu d'y aller, réplique sévèrement la fermière. La dernière fois, tu es tombé dans l'eau !

— Mais il faut que j'aille chercher Dudule. C'est mon petit cochon ! insiste l'enfant.

— Je te préviens que si Dudule te conduit dans des endroits interdits, c'est lui qui se fera gronder ! En grandissant, il doit apprendre à obéir.

Cela mérite réflexion. Nicolas continue de mâchonner son gâteau d'un air très absorbé. Annie, amusée, le regarde souvent et pense qu'elle s'entendrait à merveille avec un petit frère comme lui.

— Il faut que je parte, maintenant, annonce Roland, quand la dernière part de tarte a disparu. Merci beaucoup, tante Lucie. J'ai de la chance d'être affecté à un camp si proche de ta ferme. Au revoir ! À bientôt !

Tout le monde veut l'accompagner jusqu'à la porte, y compris Dagobert et Clairon. Le grand et vigoureux jeune homme s'éloigne d'un pas décidé.

— Alors, vous le trouvez comment ? demande Grégory.

— Il a l'air de quelqu'un de bien, répond Claude.

— Moi, je le trouve impressionnant ! complète Mick avec fougue.

— Je suis très fier de lui, avoue le jeune fermier, satisfait du jugement de ses amis. Il paraît qu'il est l'un des meilleurs pilotes de France.

— Vraiment ? dit François. Ça ne me surprend pas tellement. On voit que son métier le passionne ! Greg, tu peux nous donner un peu de ravitaillement ?

— Bien entendu, fait l'autre.

Il s'éloigne en sifflotant.

Nicolas fait sa réapparition. Son animal favori court autour de lui.

— Alors, Dudule est revenu de son escapade ? s'informe Mick.

L'enfant le regarde de ses yeux rieurs.

— Oui. Si un jour il s'enfuyait pour aller vous voir dans vos tentes, est-ce que vous seriez fâchés ?

Mick comprend aussitôt que Nicolas médite de leur rendre visite avec son porcelet et ensuite d'accuser celui-ci de s'être sauvé.

— Il faut l'empêcher de faire ça, prévient le garçon fermement. Tu risques de te perdre en route, si tu vas trop loin.

Le petit, déçu, s'éloigne sans rien dire, suivi de son compagnon.

Grégory revient avec des provisions, les Cinq lui règlent la note, et, peu de temps après, retournent à leur campement. Leur camarade reste à la ferme pour ramasser les œufs, les laver et les ranger par tailles, car ils doivent être vendus au marché de la ville voisine.

— Je viendrai vous voir demain, leur annonce-t-il. On pourrait aller visiter les grottes d'Enfer !

Tout en discutant, les quatre campeurs gravissent le sentier abrupt qui conduit en haut du Mont-Perdu, pendant que Dagobert va et vient devant eux, en flairant chaque buisson. Soudain, un papillon aux larges ailes diaprées va se poser sur une fleur, non loin de Claude.

— Regardez-le ! s'émerveille la jeune fille. Qu'il est beau !

Tous s'approchent.

— M. Franck nous a bien dit qu'on trouvait des espèces rares par ici, rappelle François.

Ils admirent les magnifiques ailes qui s'ouvrent et se referment, tandis que le papillon butine.

— Attrapons-le, propose la maîtresse de Dago. Il intéressera peut-être M. Franck ?

— J'ai un mouchoir en papier, dit Annie. Je pense pouvoir le capturer sans abîmer ses ailes. Greg a ajouté aux provisions une boîte remplie de morceaux de sucre. Vide-la, Mick !

Une minute plus tard, l'insecte se trouve dans le coffret. La benjamine des Cinq l'a attrapé très adroitement.

— Il est exceptionnel, constate sa cousine. On va faire une belle surprise à M. Franck.

81

— Moi, je ne veux pas me retrouver en face de cette sorcière qui fait la cuisine chez lui, déclare Annie.

— Bon. Je lui dirai d'enfourcher son balai et de disparaître dans les airs, réplique Mick. Allez, ne fais pas le bébé, elle ne peut pas te faire de mal !

Ils prennent ensemble le chemin de la ferme des Papillons.

Quand le groupe est en vue des serres qui étincellent au soleil, Dagobert s'arrête, l'oreille basse, l'air inquiet.

— Mon chien a une drôle d'attitude, observe Claude. Je préfère vous attendre ici avec lui.

— Moi aussi, s'empresse d'ajouter sa cousine.

Les garçons se mettent à rire.

— On n'en a pas pour longtemps, assurent-il.

Tous deux s'éloignent en direction de la demeure.

— J'espère qu'ils reviendront vite, murmure Annie. Je ne sais pas pourquoi, mais je me sens inquiète...

— Oui, à mon avis, il y a quelque chose d'anormal dans cette maison, acquiesce Claude. Et Dagobert le sent !

chapitre 10

L'énigmatique
M. Rousseau

Mick et François se dirigent vers les serres remplies de papillons et de chenilles. Ils regardent à travers les vitres, espérant apercevoir M. Franck, mais il n'y a personne. Alors ils s'approchent de la maison.

— Si on l'appelait de l'extérieur ? propose l'aîné. Ça nous éviterait de rencontrer la cuisinière.

L'autre approuve, et ils se mettent à crier :

— Monsieur Franck ! Monsieur Franck !

Personne ne répond, mais une main soulève le rideau d'une des fenêtres au premier étage ; les garçons appellent de nouveau en faisant des signes :

— Monsieur Franck ! On vous apporte un superbe papillon !

La vitre s'ouvre et la vieille Jeanne se penche au-dehors.

— M. Franck n'est pas là ! lance-t-elle de sa voix cassée.

— Dommage ! Et son associé ? questionne Mick.

La femme les scrute un moment sans parler, grommelle quelque chose d'indistinct, puis disparaît brusquement de la fenêtre.

François, étonné, s'adresse à son frère :

— Je me demande pourquoi elle est partie si soudainement ? On aurait dit que quelqu'un la tirait par-derrière !

— C'est peut-être son fils, celui dont elle se plaint... avance Mick, intrigué lui aussi.

— Faisons le tour de la maison.

Au moment où ils jettent un coup d'œil dans un hangar, ils entendent des pas précipités derrière eux. Un homme s'avance, petit et maigre, le visage étroit, avec un nez pincé chevauché de lunettes noires. Il porte un filet à papillons.

Après un salut plutôt sec, il déclare :

— M. Franck n'est pas ici pour l'instant. Que désirez-vous ?

— Vous êtes bien M. Rousseau, son associé ? demande Mick.

— Oui, acquiesce l'homme au nez pincé.

— On a trouvé un papillon qui nous paraît si beau qu'on vous l'a apporté, explique l'aîné des Cinq.

Il ouvre la boîte où l'insecte repose et suce un sucre resté dans le fond. M. Rousseau l'examine à travers ses lunettes noires.

— En effet, il m'intéresse. Je vous l'achète, réagit-il.

— Oh ! On voulait vous l'offrir. Comment appelle-t-on cette sorte de papillon ? interroge François.

— Je ne peux pas vous le dire sans un examen approfondi, articule sèchement l'homme en refermant la boîte.

Il sort de sa poche deux pièces qu'il tend aux garçons.

— Tenez, dit-il. Je vous remercie. J'informerai M. Franck de votre visite.

Il les plante là et s'éloigne à grands pas, son filet à papillons sur l'épaule.

L'aîné des Cinq observe avec des yeux ronds les deux pièces dorées, puis la maigre silhouette qui disparaît au coin de la maison.

— Drôle de type ! murmure-t-il. Qu'est-ce qu'on va faire de cet argent ?

— Si on le laissait à cette pauvre cuisinière ?

85

Elle a l'air de manquer de tout. Ses patrons ne doivent pas bien la payer.

— Bonne idée !

Ils reviennent vers la façade de la maison. Ils espèrent voir la vieille femme, mais personne ne se montre. Après une courte hésitation, ils frappent à la porte. Jeanne ouvre.

— Partez... gémit-elle en levant les bras au ciel. Mon fils va revenir bientôt. Il ne veut pas voir d'étrangers ici. Allez-vous-en !

— D'accord, acquiesce Mick. Mais avant, prenez ceci. C'est pour vous.

Il lui met les pièces dans la main. Elle les scrute comme si elle ne pouvait en croire ses yeux, puis, avec une surprenante rapidité, se baisse et les fait glisser dans l'une de ses chaussures. Quand elle se relève, des larmes coulent le long de ses joues.

— Vous êtes gentils, murmure-t-elle. Maintenant, partez et ne revenez plus ici. Mon fils est un homme méchant !

Les garçons s'éloignent silencieusement, ne sachant quoi penser. Pourquoi Jeanne accuse-t-elle ainsi son fils ? Pourtant, Grégory semble connaître ce dernier et n'en dit pas de mal. La pauvre femme a sans doute perdu la tête...

— Eh bien ! Drôle de maisonnée ! remarque Mick. Les deux éleveurs de papillons sont bizarres, mais leur employée l'est bien plus encore, et son fils semble la terrifier. Décidément, il vaut mieux ne pas revenir ici.

— Tu as raison, approuve François.

Ils arrivent auprès des filles.

— On allait envoyer Dagobert pour voir ce que vous faisiez, dit Annie.

Les deux frères racontent ce qui s'est passé et l'impression étrange qu'ils en gardent.

— Même si on découvre des papillons encore plus extraordinaires, on ne les portera pas à ces types, décide Claude. Vous ne trouvez pas bizarre que ce M. Rousseau n'ait pas su vous dire de quelle espèce il s'agissait ?

— Si... Enfin, c'est probablement M. Franck qui est le plus expert des deux. Greg a dit que l'autre s'occupait surtout de la vente... opine Mick.

Quand ils sont arrivés au camp, Dagobert se précipite vers le garde-manger. Mais Annie secoue la tête.

— Non, Dag ! ce n'est pas encore l'heure du dîner.

— Qu'est-ce qu'on fait maintenant ? lance François en se laissant tomber sur l'herbe. Voilà encore une belle soirée.

— Oui, mais je n'aime pas beaucoup ces gros nuages qui montent lentement à l'Ouest, marmonne son frère. Il pleuvra demain.

— Dommage, se désole Claude. Le beau temps ne pourrait pas durer quelques jours de plus ? Qu'est-ce qu'on deviendra s'il pleut ?

— On en profitera pour aller visiter les grottes, la rassure Mick. Pour le moment, on pourrait écouter la radio. Si on réussit à capter la bonne fréquence, la musique résonnera dans toute la vallée !

— Ah ! non ! ne montez pas trop le volume, s'oppose Annie. Je déteste les gens qui promènent leur radio avec eux et imposent leur musique à tout le monde. J'ai envie de flanquer des coups de pied dans leur appareil, pour leur apprendre à respecter la paix des autres.

— Eh bien, je ne te savais pas si féroce ! réagit Claude, surprise.

— Ha ! Tu la croyais douce et calme ? ajoute François, l'air taquin. Elle n'est pas toujours commode, notre sœurette !

— Ici, en tout cas, on ne risque pas de gêner les voisins, fait remarquer Mick.

Après quelques grésillements, le refrain d'une musique à la mode vient charmer leurs oreilles. Les quatre vacanciers s'étendent dans la broussaille, appuyés sur un coude, de façon à pouvoir admirer le coucher du soleil, tout en écoutant le morceau. Malheureusement, la bande sombre que forment les nuages continue de monter à l'horizon.

Tout à coup, le ronronnement d'un moteur d'avion couvre les sons harmonieux d'un couplet : « R-r-r-r-r-r ! »

Les garçons sautent sur leurs pieds, et Dagobert se met à aboyer.

— Tiens, le bruit semble vraiment proche, constate Mick. C'est peut-être le cousin de Grégory.

Un petit avion monoplace contourne la crête du Mont-Perdu et décrit un grand cercle avant de descendre vers la base aérienne. Les enfants ont juste le temps d'apercevoir le numéro de l'appareil :

— Cinq... sept... déchiffre François.

Claude l'interrompt.

— C'est bien l'avion de Roland Thomas. J'ai reconnu son matricule. Faisons-lui signe !

Ils agitent tous les bras avec frénésie, bien qu'il soit improbable que le jeune aviateur puisse les voir, dans l'ombre de la colline. Ils regardent l'appareil se poser doucement sur la piste.

François court chercher les jumelles et voit une silhouette sauter de l'avion.

— C'est sûrement Roland Thomas, commente-t-il. Ah ! Moi aussi je voudrais monter dans le ciel, survoler des montagnes et aller loin, loin, loin, au-delà des mers...

chapitre 11

Une nuit de tempête

Un peu plus tard, les campeurs se mettent à préparer le dîner. Dagobert voudrait bien aider à porter le pain ou le jambon et ne comprend pas pourquoi les enfants ne l'y autorisent pas.

Quand ils sont tous réunis autour de leur repas, François inspecte de nouveau l'horizon d'un air soucieux.

— La pluie ne va pas tarder. Les nuages couvrent maintenant la moitié du ciel. Il vaudrait mieux dresser les tentes, décide-t-il.

— Et même, on ferait bien de se dépêcher, ajoute Claude. Vous sentez ce vent froid qui se lève ? Heureusement, on a de quoi se couvrir.

Une heure plus tard, les deux tentes sont dressées, bien abritées d'un côté par de grands buissons de genêts.

— C'est ce que j'appelle du beau travail ! constate Mick. Il faudrait un cyclone pour les arracher !

Le ciel s'assombrit de plus en plus. Les jeunes vacanciers décident de passer la fin de la soirée dans l'une des tentes et d'écouter la radio. À peine sont-ils installés autour de l'appareil que Dagobert, resté dehors, se met à aboyer.

— Tiens ? fait sa maîtresse. Qui peut se promener par ici, alors que le vent se lève et que la tempête menace ?

— C'est peut-être Grégory qui vient nous proposer de venir coucher à la ferme, avance François.

— Ou bien M. Franck qui chasse les papillons de nuit, complète Annie.

— Ou encore la vieille Jeanne qui cherche des herbes mystérieuses pour envoûter les gens, persifle Mick.

Chacun se met à rire.

— Si j'étais superstitieux, continue le garçon, je dirais que c'est une nuit idéale pour les sorcières !

Dagobert aboie toujours. L'aîné des Cinq passe la tête par l'ouverture de la tente et s'aperçoit que le chien semble observer quelqu'un au loin, dans le clair-obscur.

— Je vais voir de quoi il s'agit, décide-t-il en se glissant au-dehors. Viens, Dago, montre-moi ce qui te tracasse.

Le chien commence à courir. François le suit comme il peut. À plusieurs reprises, il trébuche dans la bruyère ; il regrette de ne pas avoir emporté sa lampe de poche. Dagobert lui fait ainsi descendre environ cent mètres, puis stoppe net et hurle de plus belle. Quelques bouleaux poussent à cet endroit. Le garçon voit alors une silhouette passer entre les arbres.

— Qui est là ? lance-t-il.

— C'est moi, M. Rousseau, répond une voix embarrassée. Fais taire ton chien ! Il est mal dressé !

L'aîné des Cinq aperçoit alors un filet à papillons.

— Chut, Dago ! commande-t-il. M. Franck est avec vous ?

— Oui. Nous chassons quelquefois la nuit. Nous sommes venus voir aussi nos pièges à papillons avant qu'il ne pleuve. Au revoir, il faut que je me dépêche. Si votre molosse recommence à aboyer, vous saurez qu'il ne s'agit que de nous !

Dagobert est maintenant silencieux, mais il garde une attitude hostile et ne quitte pas des yeux l'homme au filet à papillons, qui s'éloigne, puis revient sur ses pas.

— Où campez-vous ? questionne-t-il.

— Sur la colline, à une centaine de mètres d'ici.

— Allez vite vous mettre à l'abri. Il tombe déjà des gouttes, conseille M. Rousseau.

Il part en s'éclairant avec une lampe de poche.

François veut regagner l'endroit où il campe avec Mick, Annie et Claude, mais, dans l'obscurité, et hors de tout sentier, c'est difficile. Il se trompe et s'engage trop à droite. Au bout d'un moment, Dagobert, étonné, vient le tirer gentiment par la manche.

— Je me suis perdu ? Mick ! Claude ! appelle le garçon. Répondez-moi ! Je ne sais plus où je suis. Hou hou !

Mais il est déjà loin du camp, et le vent porte sa voix en sens contraire. Personne ne répond.

Dago guide alors son compagnon à travers la colline. Quand celui-ci voit briller des lumières, il se sent rassuré. Mick et les filles le cherchent déjà, armés de torches électriques.

— C'est toi, François ? crie Annie d'une voix anxieuse. Tu es parti longtemps ! Tu t'es perdu ?

— Presque ! Heureusement que Dagobert a

plus le sens de l'orientation que moi. Ouh ! là ! là ! Il commence à pleuvoir sérieusement.

— Il aboyait après qui ? demande Claude tandis qu'ils se hâtent vers les tentes.

— Après M. Rousseau. J'ai reconnu sa silhouette maigre, ses lunettes noires et son filet à papillons. Il a dit que M. Franck se trouvait aussi dans les parages.

— Par ce temps ? Avec la tempête qui va éclater ? s'étonne Annie. Les papillons se sont sûrement mis à l'abri.

— Ils sont venus examiner leurs pièges avant que la pluie ne dilue le miel et ne libère les insectes, explique son frère aîné. Mais ils arrivent un peu tard...

En effet, une averse violente commence à frapper la tente où les enfants viennent de s'engouffrer. Dagobert veut s'installer confortablement entre Annie et Claude.

— Eh ! ne te gêne pas, étale-toi, mets-toi à l'aise, et tant pis pour les autres ! rouspète sa maîtresse. Tu prends vraiment trop de place dans cette petite tente, mon pauvre Dag !

Celui-ci ne se trouble pas pour autant et pose sa tête mouillée sur les genoux de la jeune fille. Elle n'a pas le courage de le repousser. Le chien exhale un gros soupir.

— Qu'est-ce qu'on fait maintenant ?

95

— J'ai un jeu de cartes dans mon sac à dos, annonce Claude.

Cette nouvelle est bien accueillie. C'est pourtant difficile de jouer aux cartes dans un si petit espace, avec Dagobert qui éprouve souvent le besoin de bouger. La pluie martèle la toile de plus en plus fort.

Alors que la partie est bien engagée, le chien recommence à aboyer, et, soudain, saute par-dessus les jambes des enfants pour aller mettre son nez dans l'ouverture de la tente, sans se soucier des cartes éparpillées sur son passage.

Mick le tire par la queue.

— Eh ! reste ici, idiot ! Tu vas te faire mouiller et ensuite tu reviendras t'essuyer sur nous. Tu es vraiment énervant, ce soir ! Laisse donc ces chasseurs de papillons !

Mais l'animal, déchaîné, ne veut rien entendre. Il aboie éperdument et même se retourne en grognant vers François, qui veut le forcer à rentrer sous la tente.

— Qu'est-ce qui se passe ? dit le garçon, tout surpris. Tais-toi, Dag ! Tu vas nous rendre sourds !

— Il faut qu'il y ait quelque chose d'anormal pour qu'il se mette dans un état pareil, conclut Claude. Écoutez ! Vous n'avez pas entendu un cri ?

Les autres tendent l'oreille, mais ne perçoivent que le bruit de la pluie et du vent.

— Quelle que soit la cause de l'agitation de ton chien, il n'y a rien à faire pour le moment, rappelle Mick. On ne peut pas s'aventurer dehors par cette tempête. On serait trempés et on risquerait même de se perdre...

Claude, irritée par les aboiements, s'écrie d'une voix forte :

— Dagobert ! Tais-toi ! Tu m'entends ?

La jeune fille se met rarement en colère contre son fidèle compagnon, aussi celui-ci s'arrête-t-il net. Sa maîtresse l'attrape par le collier et le tire à elle.

— Reste tranquille ! ordonne-t-elle. On ne peut pas bouger d'ici !

Alors, ils se regardent tous avec stupéfaction, car un bruit domine progressivement les autres : « R-r-r-r-r-r ! »

— Des avions ! s'exclame Mick. Des avions, par un temps pareil ? Qu'est-ce que ça veut dire ?

chapitre 12

Les grottes d'Enfer

Ils restent un instant silencieux.

— Pourquoi des avions quitteraient-ils leur base au milieu de la nuit, dans la tempête ? demande Annie.

— Pour faire des expériences par mauvais temps, peut-être ? avance Mick.

— On n'est pas sûrs que ces appareils partent de l'aéroport. Ils sont peut-être plutôt en train d'y retourner, non ?

— Possible... marmonne Claude. À moins que des aviateurs en difficulté n'aient cherché à atterrir ici à cause de la tempête...

Mais François secoue vigoureusement la tête.

— Non, déclare-t-il. Ce champ d'aviation est trop loin des lignes ordinaires. Et il est si petit ! Un avion en détresse essaierait de gagner un aéroport mieux équipé.

— Je me demande si Roland était dans l'un de ces appareils... dit Claude.

Annie bâille.

— Si on se couchait ? propose-t-elle. J'ai sommeil...

— Oui, il est tard, acquiesce l'aîné de la bande en regardant sa montre. Mick et moi, on prendra l'autre tente. On vous laisse celle-ci, ça vous évitera de vous faire mouiller en sortant. Appelez-nous si quelque chose ne va pas !

— D'accord. Bonne nuit ! répondent les filles.

Les deux frères sortent sous la pluie battante.

Annie s'installe confortablement dans son sac de couchage.

— Bonne nuit, Claude, souffle-t-elle. Garde ton chien avec toi, s'il te plaît. Je me demande comment tu fais pour le supporter sur tes jambes. Moi, je trouve ça intenable. Il est tellement lourd !

Les membres du Club des Cinq s'endorment profondément.

Quand ils se réveillent, le lendemain matin, la pluie tombe toujours.

— On n'a pas de chance, se désole Mick en observant le ciel uniformément gris. Il est quelle heure, François ?

— Huit heures dix. On a dormi comme des loirs ! Allez, il ne pleut pas trop fort, on peut aller se laver à la source.

Le petit-déjeuner n'est pas aussi gai que d'habitude. Les enfants se trouvent trop serrés sous la tente et ils y voient à peine.

— Ce matin, on pourrait visiter les grottes d'Enfer, suggère François quand ils ont terminé leur tartines.

— Bonne idée ! approuve Claude. En tout cas, je refuse de jouer aux cartes toute la matinée.

— Tu n'es pas la seule, assure sa cousine. On mettra nos cirés, et en route pour les grottes !

— On ne sait pas exactement où elles se trouvent, rappelle l'aîné du groupe. Greg nous a indiqué vaguement la direction, dans le bas de la colline. Enfin, en cherchant un peu, on trouvera bien un panneau.

Ils partent sous un fin crachin, à travers la bruyère humide. Dagobert court devant eux.

— Est-ce que tout le monde a sa lampe de poche ? lance Mick. J'ai la mienne, en tout cas. On en aura besoin dans les grottes.

— Oui, on y a tous pensé ! répond Claude.

Ils descendent le Mont-Perdu et tournent

en direction du nord, suivant les indications de Grégory. Ils arrivent bientôt à un sentier assez large et crayeux.

— Je me demande où ce chemin peut bien conduire, marmonne François, perplexe.

— Il mène peut-être à une vieille carrière de craie comme celle qu'il y a près de Kernach, avance son frère.

Ils s'y engagent à tout hasard. Après un tournant, ils aperçoivent un écriteau :

LES GROTTES D'ENFER
À 200 m.

— Bravo, on y est ! constate l'aîné du groupe avec soulagement. Vous vous souvenez de ce que Grégory nous a dit au sujet de ces cavernes ?

— Qu'elles ont des milliers d'années et qu'on y voit des stalagmites et des stalactites remarquables, réagit sa cousine.

— Moi, je sais ce que c'est, dit Annie toute fière. On dirait des aiguilles de glace qui pendent d'une voûte, alors que d'autres s'élèvent du sol.

— Oui. Et tu sais distinguer les stalactites des stalagmites ? interroge Mick.

— Heu...

— Celles qui descendent de la voûte sont les

stalactites, et celles qui montent du sol sont les stalagmites.

— C'est difficile de s'en souvenir, soupire la fillette.

— Je vais te donner un petit truc : quelles sont celles qui montent ? Celles qui ont un M dans leur nom. Les stalagMites Montent ! conclut François, triomphant.

— C'est idiot, mais ça peut servir, reconnaît Claude en riant.

Le chemin perd son aspect crayeux tandis qu'ils approchent du but. Ils voient bientôt, s'ouvrant dans le flanc de la colline, une caverne dont l'entrée mesure à peine plus de deux mètres de haut, et qui porte cette inscription :

GROTTES D'ENFER
ATTENTION
Suivre les galeries pourvues d'une rampe de corde. Défense d'emprunter les galeries sans corde, où il y a danger de s'égarer.

— Dago, reste avec nous ! ordonne sa maîtresse.

Ils entrent et doivent aussitôt allumer leurs lampes de poche. Le chien est très étonné de voir les murs briller autour de lui, dans la lumière des torches électriques. Il aboie. L'écho reproduit

103

ses cris d'une façon impressionnante. Dagobert, apeuré, se serre contre Claude.

— Allez, viens, gros nigaud, lui dit-elle affectueusement. Tu ne reconnais pas ta propre voix ?

Elle ajoute en frissonnant :

— Il fait drôlement froid ici !

Ils traversent deux grottes qui ne présentent rien de particulier ; dans la troisième, quelques stalagmites et stalactites se sont soudées et forment des colonnes qui semblent supporter la voûte.

— On dirait une cathédrale, murmure François. Sans doute à cause de ces colonnes ciselées... Voyons la caverne suivante !

Celle-ci est plus petite que la précédente, mais contient de splendides stalactites et stalagmites colorées, qui étincellent dans la lumière des lampes de poche.

— On dirait une grotte de conte de fées, souffle Annie. Il y a là toutes les couleurs de l'arc-en-ciel.

Ensuite ils débouchent dans une sorte de grande salle où tout est d'un blanc éclatant : les murs, la voûte, le sol et les colonnes, qui, à un endroit, se sont rejointes et assemblées, si bien qu'elles constituent une sorte d'écran transparent à travers lequel les Cinq aperçoivent d'autres colonnes blanches...

En sortant de cette caverne, ils se trouvent à la croisée de trois chemins. La galerie centrale est pourvue d'une corde qui court le long de la paroi, à portée de main. Les deux autres n'en ont pas. Les enfants jettent un coup d'œil curieux dans les galeries sans corde, qui s'enfoncent dans les ténèbres, chargées de mystère. Ils en ont froid dans le dos.

— Ce serait affreux de se perdre dans ces souterrains ! constate Annie. On pourrait mourir sans que personne ne devine où on est...

Les jeunes campeurs s'engagent prudemment dans la galerie centrale. Dagobert flaire longuement ; au lieu de les suivre, il prend le chemin de gauche.

Claude s'en aperçoit et l'appelle :

— Dago ! Reviens, tu vas te perdre !

Mais le chien poursuit sa route en courant.

— Qu'est-ce qu'il cherche ? s'écrie Mick, agacé. Dag !

L'écho répète : « Dag ! Dag ! » à travers le labyrinthe souterrain.

En réponse, le chien pousse un cri, qui, aussitôt, retentit de tous côtés... On dirait une meute hurlante. Annie se bouche les oreilles. Le chien reparaît dans la lumière des lampes de poche. Il

105

semble tout bouleversé par le bruit énorme qu'il a causé en aboyant...

— Si tu recommences, je t'attache, prévient Claude, contrariée. Reste avec nous, maintenant. Compris ?

L'animal les suit, comme à regret. Ils visitent plusieurs grottes étonnantes, reliées les unes aux autres par d'étroits passages. Les enfants s'engagent toujours dans les galeries munies d'une corde. Tous meurent d'envie de voir où conduisent les autres, mais ils ont la sagesse de résister à cette dangereuse tentation.

Tandis qu'ils examinent une sorte de lac cristallisé qui reflète un plafond d'une blancheur neigeuse, un bruit étrange leur parvient. Ils se redressent pour mieux écouter.

On dirait un sifflement, qui s'amplifie au point de devenir pénible pour leurs tympans. Le son monte et s'évanouit, puis il reprend plus fort, si bien que les jeunes vacanciers sont obligés de se boucher les oreilles. Dagobert, affolé, aboie de toutes ses forces et tourne en rond. Alors, dominant ce vacarme, un hurlement sinistre retentit à travers les cavernes, amplifié et répété par l'écho...

Les enfants, pris de panique, s'enfuient à toutes jambes vers la sortie, conduits par Dagobert qui n'a jamais eu si peur de sa vie...

chapitre 13

Une grosse émotion

Les Cinq, hors d'haleine, s'arrêtent devant l'entrée des grottes. Maintenant qu'ils sont à l'air libre, ils trouvent ridicules d'avoir fui à cause d'un bruit insolite. Ils se regardent, gênés.

— Ouf ! fait François en s'épongeant le front. Quelle émotion ! Ce sifflement... J'ai l'impression de l'entendre encore. Quant au hurlement...

— Horrible ! gémit Annie. On aurait dit le rugissement d'un fauve... Jamais je ne remettrai les pieds dans ces cavernes. Éloignons-nous vite de cet endroit sinistre !

Ils marchent silencieusement le long du chemin. Le temps s'améliore. La pluie vient de cesser, les nuages se dissipent lentement.

Quand ils sont revenus sous la tente – la bruyère étant encore mouillée –, ils reprennent la discussion.

— On demandera à Greg s'il a déjà entendu des cris dans les grottes, décide Mick.

— Il faut avouer qu'on n'a pas été très courageux, admet François.

Claude le taquine :

— Si tu le regrettes, retourne là-bas et crie de toutes tes forces. Tu réussiras peut-être à effrayer celui qui nous a donné une si belle frousse !

— Non merci, réplique son cousin. Je n'ai aucune envie de participer à un concours de hurlements dans les grottes d'Enfer !

Il va chercher ses jumelles et les braque sur le champ d'aviation.

— Qu'est-ce que tu fais ? lui demande Mick.

— J'essaie d'apercevoir le cousin de Grégory, explique François.

Après quelques instants, il s'écrie, tout surpris :

— Quelle agitation ce matin ! Je vois des gens qui vont, qui viennent... Certains d'entre eux courent... Il y a aussi beaucoup d'avions, qui ont dû arriver depuis peu.

Chacun veut voir la scène décrite par l'aîné du groupe. Ils constatent, grâce aux jumelles, qu'il se passe sans aucun doute quelque chose d'inhabituel à l'aéroport.

Un appareil vient se poser sur la piste.

— Encore un ! remarque Claude. D'où viennent les autres ? On n'a entendu aucun bruit de moteur.

— Ils sont peut-être arrivés pendant qu'on visitait les grottes, avance Annie. Dommage qu'on ne puisse pas voir Roland pour lui demander ce qui se passe !

— Si on allait à la ferme cet après-midi ? propose François. Greg aura peut-être des nouvelles intéressantes.

Les autres approuvent.

— Heureusement, le soleil commence à percer, remarque Mick. La bruyère va vite sécher. On pourrait essayer de capter la météo à la radio.

Malheureusement, ils constatent qu'ils viennent de manquer les prévisions météorologiques. Claude s'apprête à éteindre le poste lorsque deux mots frappent son oreille : « Mont-Perdu... » Elle reste la main en l'air et écoute, intriguée. La voix du journaliste résonne clairement :

— Les avions volés à la base du Mont-Perdu sont des prototypes de grande valeur. Il semblerait que deux pilotes se soient enfuis à bord de ces appareils : le lieutenant Roland Thomas et le lieutenant Jean Dufrêne. Les appareils auraient quitté leur base au cours d'une tempête sur le Mont-Perdu, la nuit dernière. On pense que les aviateurs complotaient pour renverser le gouvernement !

Après une courte pause, le présentateur passe à un autre sujet.

Mick éteint la radio et tous se regardent, muets de surprise. Le cousin de Grégory serait mêlé à une affaire aussi grave ? Le sympathique Roland, un bandit qui se sauve à bord d'un prototype ?

— Ce n'est pas possible, murmure enfin Claude.

— On a pourtant bien entendu des avions s'envoler, rappelle Annie. Ils étaient deux. On devrait se rendre à la gendarmerie la plus proche pour dire ce qu'on sait.

— Ce qu'on sait est bien vague, fait remarquer François.

— Je ne peux pas croire que ce soit vrai, articule son frère d'une voix contenue. Roland... Il paraissait tellement bien, ce type-là. On l'admirait tant...

— Dagobert aussi lui a témoigné de l'amitié. D'habitude, il ne se trompe pas, ajoute Claude. Pauvre Greg ! Ce doit être dur pour lui ! Il aime tellement son cousin.

Le chien se lève soudain, contourne les buissons de genêts et lâche un jappement. Claude discerne qu'il s'agit d'un cri de bienvenue. Grégory fait son apparition, pâle et visiblement bouleversé.

Il vient s'asseoir près de ses amis.

— J'ai une mauvaise nouvelle à vous annoncer, commence-t-il d'une voix blanche.

— On est au courant, l'interrompt Mick, apitoyé. On vient d'écouter la radio. C'est incroyable ! Ton cousin...

Le visage du jeune fermier se contracte et des larmes roulent le long de ses joues. Les Cinq, navrés, ne savent que faire devant un chagrin si évident. Dagobert, compatissant et moins embarrassé, s'approche du garçon et, d'un grand coup de langue, lèche son visage. Grégory prend l'animal par le cou et parle d'une voix entrecoupée :

— Ce n'est pas Roland ! Je le sais ! J'en suis sûr ! Il n'est pas mêlé à cette affaire. Vous me croyez, hein ?

En disant ces mots, il scrute fixement ses camarades. On sent que la seule idée que l'on puisse soupçonner son cousin le révolte.

— Je ne peux pas croire qu'il ait comploté contre le gouvernement, assure François gra-

111

vement. On ne l'a rencontré qu'une fois, mais il nous a tous paru digne de confiance...

Le fermier, satisfait du jugement de ses amis, sort de sa poche un mouchoir en papier, s'essuie le visage et se mouche bruyamment.

— Pour moi, il est une sorte de héros, avoue-t-il. Quand les gendarmes sont venus à la ferme pour interroger mes parents au sujet de Roland, je ne pouvais pas en croire mes oreilles.

— Tu veux dire que ton cousin et son collègue ont vraiment disparu ? Il ne manque aucun autre pilote ?

— Non. Tout le monde a répondu présent à l'appel, ce matin, sauf Roland et Jean Dufrêne.

— Ça se présente mal, constate Mick après quelques instants de réflexion.

— Roland n'est pour rien dans cette affaire ! s'écrie Grégory, les yeux brillants de colère. Tu insinues que...

— Je ne veux rien insinuer du tout. Ne sois pas stupide.

Dagobert disparaît de nouveau derrière les genêts en aboyant, cette fois, à plein gosier. François s'avance et voit deux gendarmes auxquels le chien montre les crocs.

L'aîné des Cinq s'approche.

— Bonjour, jeune homme, commence le premier agent. Nous avons appris que vous campiez depuis quelques jours sur le Mont-Perdu, et nous sommes venus vous poser quelques questions au sujet des événements de la nuit dernière. Vous étiez bien ici, n'est-ce pas ?

— Oui. On va vous dire tout ce qu'on sait. Malheureusement, je ne crois pas que ça vous avancera beaucoup. En tout cas, on est persuadés que le lieutenant Thomas est innocent...

— Peut-être, marmonne le gendarme. Asseyons-nous.

Ils s'installent tous dans la bruyère. François fait le récit de ce qu'ils ont remarqué et entendu.

Le second agent lève le nez du carnet sur lequel il inscrit la déposition du garçon :

— Vous n'avez vu personne rôder dans les parages ? interroge-t-il.

L'aîné de la bande réfléchit quelques instants, et répond :

— On n'a aperçu que M. Rousseau, l'éleveur de papillons.

— Vous êtes sûrs qu'il s'agissait bien de M. Rousseau ?

— Il faisait sombre, mais je pense que c'était bien lui qui se promenait avec son filet à papillons sur l'épaule. Il m'a dit que M. Franck l'accompagnait. Mais je n'ai pas vu M. Franck.

113

J'ai bel et bien l'impression que ces deux-là ne s'intéressent qu'aux papillons.

Le second gendarme referme son carnet et se lève pour partir.

— Merci beaucoup, dit-il. Nous allons de ce pas jusqu'à la ferme des Papillons pour interroger les éleveurs.

— On peut vous accompagner ? tente Mick, curieux comme toujours.

— Non, c'est impossible, répond fermement le premier agent.

— Dès que vous saurez que mon cousin Roland est hors de cause, avertissez-nous, s'il vous plaît ! implore Grégory.

— Je comprends que tu aies de la peine, mon garçon. C'est ton cousin. Pourtant, il faut t'y résigner : Roland Thomas est parti l'autre soir dans l'un des deux avions volés. Aucun doute là-dessus !

chapitre 14

M. Franck est très ennuyé

Les gendarmes descendent la colline. Les cinq enfants, cédant à la curiosité, décident de les suivre à bonne distance sans se faire remarquer. Dagobert sent confusément qu'il se passe des choses très graves.

— Je ne crois pas que la police puisse tirer des renseignements intéressants des éleveurs de papillons, estime François. Ces deux types n'ont sûrement rien remarqué, en dehors de leurs précieux insectes !

Arrivés en vue des serres, ils entendent quelqu'un qui hurle et ils s'arrêtent pour écouter.

— C'est la voix de la vieille Jeanne, commente Grégory. Qu'est-ce qui lui arrive ?

— Allons voir, décide l'aîné des Cinq.

Ils s'approchent tous sur la pointe des pieds, suivis de Dago, et voient l'un des gendarmes qui s'efforce de calmer la cuisinière de M. Franck.

— Allons, madame, ne vous mettez pas en colère. Nous sommes venus pour faire une enquête.

— Partez ! s'égosille l'intraitable Jeanne. Partez, je vous dis !

— Pourquoi vous fâchez-vous ? reprend patiemment l'agent. Nous voulons voir vos patrons. Ils sont là ?

— Qui ? Franck et Rousseau ? Non, ils sont partis à la chasse aux papillons comme d'habitude. Je suis seule et je ne veux pas que des inconnus entrent ici. J'ai peur...

— Qu'est-ce que vous craignez donc ? Allons, calmez-vous et essayez de nous répondre. Est-ce que vos employeurs sont sortis la nuit dernière ?

— Je n'en sais rien. La nuit, je dors ! Maintenant, partez et laissez-moi en paix ! vocifère la vieille femme.

Les deux gendarmes se regardent en hochant la tête. De toute évidence, ils ne tireront rien de cette entêtée.

— C'est bon, nous partons, cède l'un d'eux.

Ils s'éloignent et voient les enfants qui les attendent dans le chemin.

— On a entendu des cris, alors on s'est approchés, explique Claude avec un léger embarras.

— Ah ! oui ? et vous vous promeniez dans les parages, comme par hasard ? raille l'un des agents. Les éleveurs de papillons sont à la chasse pour l'instant. Ces gens-là mènent une drôle de vie ! Je parie qu'ils ne savent même pas que deux avions ont été volés hier par...

— Mon cousin Roland n'est pour rien dans cette histoire ! l'interrompt violemment Grégory, en serrant les poings. J'en suis sûr ! Vous vous trompez !

Les hommes haussent les épaules d'un air navré et poursuivent leur route.

En silence, les enfants grimpent la côte. Quand ils sont en vue des tentes, François déclare :

— On ferait mieux de manger un morceau. L'heure du déjeuner est passée depuis longtemps.

— Moi, je n'ai pas faim, confie Grégory tristement.

Tout le monde pense comme lui, mais, comme dit le proverbe, l'appétit vient en mangeant. Seul, le jeune fermier éprouve quelque difficulté à avaler un sandwich au poulet et aux tomates fraîches.

Dagobert se met à aboyer au milieu du repas, signalant l'arrivée de quelqu'un. François, à

117

l'aide de ses jumelles, repère une silhouette, assez loin en dessous d'eux.

— Je crois bien que c'est M. Franck, annonce-t-il. Je distingue son filet.

— Appelons-le, propose Mick. On lui dira que les gendarmes sont allés chez lui.

Les Cinq crient de toutes leurs forces :

— Monsieur Franck ! Monsieur Franck !

Le vent leur apporte une réponse indistincte.

— Il vient vers nous, continuons d'appeler pour le guider, décide Claude, qui regarde à son tour avec les jumelles.

Dagobert va à la rencontre de l'éleveur qui arrive essoufflé auprès du petit groupe.

— Vous voulez me voir ? questionne-t-il. Auriez-vous trouvé une Vanesse atalante, comme l'autre jour ?

— Non, répond François. On vous a appelé pour vous dire que la police est passée chez vous il y a une heure environ, afin de vous interroger au sujet des événements de la nuit dernière.

L'homme a l'air abasourdi par cette nouvelle :

— Les gendarmes chez moi ! Mais pourquoi ? s'inquiète-t-il.

— Oh ! rien de grave, s'empresse d'ajouter Mick. Ils voulaient seulement vous demander si vous n'aviez rien remarqué d'anormal hier soir, après le dîner, quand vous êtes allé voir vos pièges à papillons.

— Quoi ? Je ne suis pas sorti, hier, après le dîner. J'ai passé la soirée à mettre à jour ma comptabilité, proteste M. Franck.

— Ah ? Vraiment ? s'étonne l'aîné des Cinq. Pourtant, j'ai croisé votre ami M. Rousseau et il m'a dit que vous étiez sortis vérifier les pièges avant la tempête...

L'éleveur observe le garçon avec stupeur.

— M. Rousseau ? Qu'est-ce que tu racontes ? reprend-il. Il était avec moi, nous faisions nos comptes ensemble.

Il y a un silence. Les Cinq se sentent désemparés. L'homme dit-il la vérité ? Ou essaie-t-il de dissimuler le fait qu'il se trouvait dehors, la nuit précédente, avec son associé ? Dans ce cas, il a peut-être participé au vol des avions ?

— J'ai vu M. Rousseau, insiste François en regardant son interlocuteur droit dans les yeux. Il faisait sombre, mais je l'ai pourtant reconnu, avec ses lunettes noires et son filet.

— Hein ? s'exclame M. Franck. Qu'est-ce que tu me chantes ? Je n'ai jamais vu Rousseau avec des lunettes noires ! Tu te moques de moi ! Je m'en vais, bonne nuit !

— Attendez un instant, intervient Mick. Vous dites que votre associé ne porte pas de lunettes

119

noires ? Alors, qui est l'homme auquel on a remis un papillon hier soir vers six heures, chez vous ? Il s'est présenté comme étant M. Rousseau...

— À six heures, nous étions tous deux en ville, en train de faire quelques achats indispensables. Ni lui ni moi ne pouvions être à la maison. Laissez-moi, maintenant. C'est une mauvaise plaisanterie : Rousseau avec des lunettes noires ! Rousseau dehors la nuit dernière ! Et puis quoi encore ?

Il est maintenant debout, et ses yeux jettent des éclairs de colère derrière ses verres épais.

— C'est quand même bizarre, avance Claude, perplexe.

— Bizarre ! Vous n'êtes que des gamins stupides et mal élevés ! rugit M. Franck.

Dagobert grogne et lui montre les crocs. Il ne supporte pas qu'on insulte ses amis.

L'homme s'éloigne, furieux, en gesticulant et parlant tout seul.

Les enfants ne savent que penser de cette affaire.

— Est-ce que j'ai rêvé hier soir ? murmure François. Non, pourtant. J'ai bel et bien reconnu cet homme. Il a affirmé qu'il était M. Rousseau, et a ajouté que M. Franck se trouvait avec lui dans les parages. De deux choses l'une : ou bien M. Franck ment – et alors il a de sérieuses raisons pour le faire – ou bien l'homme auquel on a remis le papillon et que j'ai ensuite rencontré dans la nuit n'est pas son associé...

Ils restent tous pensifs. Après un moment de réflexion, Grégory prend la parole :

— Peut-être que le type aux lunettes noires a participé au coup de force de l'autre nuit...

— Tu vas un peu loin, Greg. Cet homme ne paraissait pas de taille à voler un avion.

— Mais quand même : qui est le type qui nous a donné de l'argent ? questionne Annie. Qu'est-ce qu'il faisait à la ferme des Papillons ?

— C'était peut-être le fils de Jeanne... avance Mick. Mais alors pourquoi se serait-il fait passer pour M. Rousseau ?

— Je connais le fils de Jeanne, rappelle aussitôt Grégory. Je vous l'ai dit : il est souvent venu à la ferme. Mon père parlait justement de lui hier soir : il paraît qu'il s'est mis à boire et qu'on ne peut plus compter sur lui. Mon père ne veut plus lui confier les petites réparations qu'il faisait d'habitude. Décrivez-moi le type aux lunettes noires, je saurai tout de suite si c'est le gros Marcel qui a prétendu être M. Rousseau.

— Le *gros* Marcel, tu dis ? s'écrie François. L'homme que j'ai vu est petit et maigre !

— Alors, ce n'était pas le fils de Jeanne. Marcel est grand et fort, avec un cou de taureau.

121

Chacun retombe dans ses réflexions.

— Finissons de déjeuner, propose la benjamine du groupe. Qui veut un autre sandwich au jambon ?

Ils terminent leur repas silencieusement. Après quelques instants, Grégory déclare :

— À mon avis, ce personnage mystérieux, qui se fait passer pour M. Rousseau, est mêlé à l'affaire des avions volés.

— Ça se pourrait, admet Claude. D'ailleurs, vous ne trouvez pas bizarre qu'il porte des lunettes noires en pleine nuit ? C'est forcément qu'il veut cacher son regard et éviter qu'on le reconnaisse !

— De toute façon, il y a un mystère là-dessous ! confirme François. Faisons notre petite enquête. Il faut percer le mystère de la ferme des Papillons !

Expédition nocturne

La petite bande passe la plus grande partie de l'après-midi à discuter et à essayer de se souvenir des moindres détails qui pourraient apporter un peu de lumière sur cette affaire.

Mick s'exclame soudain :

— Eh ! rappelez-vous... l'homme aux lunettes noires n'a pas su nous dire le nom du papillon qu'on lui a apporté !

— C'est vrai, ça... acquiesce François. S'il était un vrai spécialiste, il aurait pu nous fournir au moins quelques détails.

— Ce n'était pas M. Rousseau, mais un imposteur ! s'écrie Grégory, triomphant.

— Pas si vite, tempère la maîtresse de Dago.

Écoutez. Pourquoi on ne se glisserait pas jusqu'à la ferme des Papillons à la tombée de la nuit, pour voir si le faux M. Rousseau s'y trouve ?

— Oui, c'est une bonne idée, approuvent les autres.

— Mais on ne peut pas tous y aller, ajoute Mick. On risquerait de se faire remarquer... Deux personnes, ce sera assez pour remplir cette mission. Claude, je t'accompagne !

— Je voudrais aller avec vous, implore Grégory. Il s'agit de mon cousin, quand même...

— Bon, d'accord, acquiesce l'adolescente. Mais il faudra se montrer prudents, car ces éleveurs sont peut-être, en réalité, des gens dangereux. Mieux vaut ne pas se faire pincer à les espionner !

— Emmenez Dagobert avec vous, suggère Annie.

— Non, s'oppose sa cousine. Il risque d'aboyer. Ça nous attirerait des ennuis.

Chacun se sent plus gai d'avoir décidé de mener l'enquête, même Grégory. Un léger sourire se dessine sur ses lèvres quand il se lève pour quitter ses amis.

— Maintenant, je dois rentrer chez moi pour aider maman dans le poulailler, annonce-t-il. Je vous attendrai ce soir près du grand chêne qui se trouve derrière la ferme des Papillons.

— Bonne idée ! approuve l'aîné des Cinq. Je me souviens de cet arbre. Il est énorme. On y sera à dix heures... non, à onze heures, car il faut qu'il fasse nuit noire !

— D'accord, lance le jeune fermier.

Il s'éloigne.

— Maintenant qu'on a établi un plan d'action, je me sens mieux, avoue Mick. Vous savez qu'il est déjà cinq heures et demie ? Je pense que personne n'a envie de goûter. On a déjeuné si tard !

— Mieux vaut se passer de goûter et préparer un bon petit dîner, bien copieux, estime son frère.

Vers six heures, ils allument la radio et écoutent les informations. Bientôt ils entendent le communiqué suivant :

« Les deux avions disparus la nuit dernière du champ d'aviation du Mont-Perdu, et pilotés par le lieutenant Roland Thomas et le lieutenant Jean Dufrêne, ont été retrouvés. Ils ont sombré en mer. Les équipes de sauvetage ont en vain recherché les aviateurs, qui se sont probablement noyés. »

Les Cinq restent muets, abasourdis par la terrible nouvelle. Annie est devenue livide. Elle lève vers ses frères un regard alarmé.

— L'accident s'est sans doute produit à cause de la tempête, articule enfin Mick d'une voix faible.

— Mais... vous croyez vraiment que le cousin de Grégory est mort ? murmure la benjamine des Cinq, au bord des larmes.

Les autres ne savent pas quoi dire. Chacun a une boule dans la gorge.

— Pauvre Greg... souffle Claude, la tête basse. Il aimait et admirait tant son cousin. C'est atroce... Il doit être dévasté.

Ils se taisent de nouveau et songent longtemps à Roland Thomas, ce pilote si beau et si énergique. A-t-il vraiment péri en mer ? Ils revoient les yeux vifs et brillants du jeune lieutenant, son sourire, et leur cœur se serre.

— Vous ne croyez pas qu'il vaudrait mieux retourner à Kernach ? murmure Annie. On va gêner la famille Thomas.

— Non. On n'a pas besoin d'aller souvent à la ferme, réplique François. Grégory est malheureux ; la présence de quelques amis lui fera peut-être du bien.

— Tu as raison, approuve Mick. C'est quand on a du chagrin que les amis sont le plus utiles. Je me demande s'il sera au rendez-vous ce soir.

— De toute façon, Mick et moi, on peut remplir la mission, assure Claude. Et puis, ça nous distraira, de tenter de découvrir le mystère de la ferme des Papillons.

Ils font une petite promenade avant le dîner. Dagobert saute joyeusement autour d'eux, comme d'habitude, et s'étonne de la gravité de ses compagnons.

À huit heures, ils dînent et écoutent encore la radio, dans l'espoir d'en apprendre davantage au sujet de l'affaire des avions. Mais l'information est répétée dans les mêmes termes.

François scrute le champ d'aviation avec les jumelles.

— On dirait que le calme est revenu, constate-t-il. Je vois encore des allées et venues, mais moins que ce matin. Les autres aviateurs de la base ont dû être drôlement surpris quand ils ont entendu les deux appareils décoller la nuit dernière !

— Peut-être que la tempête a couvert le bruit de leur départ, avance Claude.

— Impossible ! On a très bien distingué le ronronnement des moteurs, fait remarquer Mick.

Après un moment, Annie se tourne vers sa cousine :

— Écoute, tu ferais mieux d'emmener Dagobert, lui dit-elle. Je n'aime pas du tout cette ferme des Papillons, ni cette vieille bonne femme qui ressemble tant à une sorcière, ni son fils qui a mauvaise réputation, ni l'homme aux lunettes noires...

— Ne t'inquiète pas, la rassure Claude. On sera de retour vers minuit.

Tous quatre s'asseyent dans l'herbe et observent le coucher de soleil. Le temps est redevenu parfaitement paisible. Un peu plus tard, ils font une partie de cartes pour passer le temps. Quand le moment est venu, Mick et sa cousine se lèvent.

— On va vous accompagner jusqu'à mi-chemin, décide la benjamine du groupe. L'air est si doux ce soir !

Les Cinq partent ensemble. Au moment de se séparer, François dit aux deux aventuriers :

— Soyez prudents ! Ne vous attardez pas trop !

Les jeunes enquêteurs poursuivent seuls le chemin qui les sépare de la ferme des Papillons. Les étoiles brillent dans le ciel.

— Il faudra prendre des précautions pour ne pas être vus, murmure Claude. La nuit est claire...

Quand ils arrivent près du grand chêne, Grégory n'est pas au rendez-vous.

— Il ne viendra pas, estime Mick.

— Attendons-le un petit moment, propose sa cousine. Il n'est que onze heures cinq.

Deux minutes plus tard, ils entendent un léger bruit au loin, puis ils distinguent la silhouette du jeune fermier qui arrive en courant.

— Je suis un peu en retard, déclare-t-il. Vous avez entendu les informations de six heures ?

— Oui. On est désolés pour toi, Greg, assure la maîtresse de Dago.

— Eh bien, vous avez tort ! Comme je n'ai jamais cru que mon cousin avait volé un avion, je suis persuadé que Roland est toujours en vie ! Ceux qui sont morts noyés sont les *véritables* bandits et n'ont rien à voir avec lui ! s'écrie l'autre avec force.

— Oui, tu as sûrement raison... mumure Mick.

Pourtant, au fond de lui-même, il en doute.

— Bon ! comment on procède ? interroge Grégory, vigoureusement. Il y a des lumières aux fenêtres de la maison. Personne n'a pensé à fermer les volets ni à tirer les rideaux. Tant mieux, ce sera facile de voir qui se trouve à l'intérieur.

— Allons-y, décide Claude. Surtout, ne faites aucun bruit. Mettons-nous en file indienne. Je prendrai la tête !

Ils s'avancent silencieusement vers la vieille bâtisse. Quelle surprise leur réserve-t-elle ?

chapitre 16

Le Club des Cinq passe à l'action

Ils arrivent près de la maison, en marchant sur la pointe des pieds.

— Quand vous regarderez par les fenêtres, tenez-vous à bonne distance, pour voir sans être vus, recommande Claude. J'espère qu'on ne sera pas surpris !

— De ce côté, il n'y a qu'une fenêtre éclairée, et c'est au rez-de-chaussée, constate Mick.

Ils s'en approchent avec mille précautions et aperçoivent une cuisine crasseuse, baignée d'une faible lumière. La vieille cuisinière, vêtue d'une robe de chambre un peu flétrie, est là, affalée dans un fauteuil. Bien que les jeunes aventuriers ne puissent voir son visage, ils devinent sa tris-

131

tesse à la façon dont elle baisse la tête. Elle passe une main tremblante dans ses cheveux gris, puis reprend une attitude immobile.

— Elle me fait de la peine, cette pauvre Jeanne... murmure Mick.

— On dirait qu'elle attend quelqu'un, avance sa cousine.

— Ça se pourrait. Alors, méfions-nous, estime Grégory en se retournant comme s'il s'attendait à voir surgir une ombre derrière lui.

— Allons voir la façade, propose Claude.

Toujours sur la pointe des pieds, ils font le tour du bâtiment et aperçoivent une fenêtre éclairée beaucoup plus brillamment que celle de la cuisine. Ils n'osent pas trop s'approcher, de crainte d'être vus. Enfin, ils réussissent à voir deux hommes assis devant une table et penchés sur des papiers, qui paraissent très absorbés.

— M. Franck ! souffle Mick. C'est bien lui ! L'autre est sans doute M. Rousseau. Il ne ressemble absolument pas à l'homme aux lunettes noires.

Tous examinent l'associé. C'est un homme d'une quarantaine d'années, d'aspect robuste, avec une petite moustache et des cheveux châtain clair. Rien qui rappelle l'être chétif croisé en pleine nuit...

— On nage en plein mystère, chuchote Grégory.

— Qu'est-ce qu'ils font ? demande Claude à voix basse.

— L'un écrit dans un cahier, l'autre sur des feuilles, analyse le jeune fermier. Ils font sans doute leur comptabilité. En tout cas, ils n'ont pas l'air de mener des activités suspectes ! Maintenant, je suis persuadé que M. Franck a dit la vérité quand il nous a assuré que son associé n'était pas sorti le soir de la tragédie.

Ils s'écartent pour aller parler plus tranquillement dans un coin sombre.

« Qui est l'homme aux lunettes noires ? Pourquoi nous a-t-il menti ? Pourquoi rôdait-il sur le Mont-Perdu, ce soir-là ? » se demandent les jeune enquêteurs.

— Je n'y comprends rien ! fait Grégory à voix haute.

Il reçoit aussitôt deux coups de coude dans les côtes, qui le ramènent à plus de prudence.

— Je voudrais bien rencontrer l'homme qui s'est fait passer pour M. Rousseau... reprend-il en chuchotant.

— Il y a d'autres fenêtres éclairées ? murmure Claude. Oui. Au premier étage. Quelqu'un doit se trouver là-haut !

— Comment pourrait-on jeter un coup d'œil

dans cette pièce ? J'ai une idée ! Grimpons à l'arbre qui est en face de la fenêtre, suggère Grégory.

— Il y a un moyen encore plus simple, l'interrompt la maîtresse de Dagobert en actionnant sa lampe de poche de façon à éclairer fugitivement une échelle appuyée contre la porte de la remise.

— En effet, ce sera très pratique, approuve son cousin. Mais il faudra être silencieux !

Il réfléchit un instant et prend une décision :

— La fenêtre n'est pas haute, et cette échelle est légère. À deux, on pourra la placer contre le mur sans attirer l'attention de personne. Greg, aide-moi ! Claude, fais le guet !

Les deux garçons transportent précautionneusement l'échelle et l'appuient contre la paroi de pierre, sans bruit...

— Maintenant, tenez-la bien ! souffle Mick. Je vais monter. Surveillez autour de vous !

Sa cousine et Grégory maintiennent fermement l'échelle tandis que le garçon gravit les barreaux. Il arrive près de la fenêtre éclairée et, très prudemment, en approche son visage.

Il voit une petite chambre triste et mal tenue, avec un lit de fer au milieu. Un homme très robuste, assis sur le matelas, paraît plongé dans la lecture d'un journal.

« Tiens, il est bien gras, ce type-là... Et il a le cou d'un taureau ! » pense le jeune aventurier.

Il se rappelle le portrait tracé par Grégory et n'a plus aucun doute : cet homme est bien « le gros Marcel », le fils de Jeanne.

Tandis que le garçon l'examine, l'homme consulte sa montre et grommelle quelque chose d'indistinct. Il se lève brusquement. Mick descend l'échelle en un clin d'œil et fait signe aux autres de se taire.

— Je pense que le type là-haut n'est autre que « le gros Marcel ». J'ai cru qu'il allait s'approcher de la fenêtre. Attendons encore quelques instants. Si tout est calme, Greg montera à l'échelle pour s'assurer que je ne me trompe pas.

Quand le jeune fermier a rempli sa mission, il déclare :

— Oui, c'est lui. Le fils de Jeanne. Comme il a changé ! Mes parents disent qu'il a de mauvaises fréquentations et qu'il boit. Il a l'air d'une brute, maintenant !

— Il a regardé l'heure comme s'il attendait quelque chose avec impatience. J'aimerais pouvoir l'examiner mieux.

— Cachons-nous dans les dépendances et attendons un moment... propose Claude quand ils ont rangé l'échelle.

Ils pénètrent sans bruit dans un bâtiment

135

délabré qui sert encore de remise. Il y règne une mauvaise odeur ; les enfants ne savent pas où s'asseoir.

Enfin, Grégory trouve dans un coin une pile de sacs assez poussiéreux, qu'il dispose à terre. Chacun s'y installe pour faire le guet, dans l'obscurité.

— Qu'est-ce qui peut sentir si mauvais ? interroge la maîtresse de Dago, incommodée. Des pommes de terre pourries ? C'est intenable !

Ils restent tapis dans la remise pendant un certain temps. Mick va s'endormir quand sa cousine lui donne un brusque coup de coude. On entend des pas approcher. Les aventuriers retiennent leur respiration. Les pas se font légers en arrivant devant le hangar et en approchant de la maison. Là, ils s'arrêtent. Un sifflement à peine perceptible parvient aux oreilles du trio.

Grégory se lève et scrute par la porte de la remise, restée entrouverte. Il souffle :

— Je vois deux hommes sous la fenêtre de Marcel ; c'est probablement eux qu'il attendait. Il va descendre pour leur parler. Pourvu qu'il n'ait pas l'idée de venir discuter avec eux dans cette remise !

Cette pensée donne froid dans le dos aux jeunes enquêteurs, car ils n'ont plus aucune possibilité de retraite. La porte d'entrée de la maison vient de s'ouvrir, livrant passage au fils de Jeanne.

Grégory voit nettement sa silhouette massive se mouvoir dans l'obscurité. Marcel et les deux nouveaux venus s'éloignent ensemble, sans bruit, et tournent au coin de la bâtisse.

— Suivons-les et essayons d'entendre ce qu'ils disent, propose le jeune fermier. On apprendra peut-être quelque chose d'intéressant !

— Il est quelle heure ? questionne Mick. J'espère qu'Annie et François ne vont pas s'inquiéter.

— Il est plus de minuit, en effet, répond Claude en regardant les aiguilles lumineuses de sa montre. On n'y peut rien. Ils devineront qu'on est sur une piste.

Ils suivent de loin les trois hommes, en prenant mille précautions pour éviter le moindre craquement.

Les silhouettes contournent les serres, et s'arrêtent sous un gros arbre. Là, le trio commence à discuter à voix basse. Les jeunes aventuriers, malheureusement, ne perçoivent qu'un murmure de voix.

Enfin, Marcel hausse le ton. Quelques-unes de ses paroles parviennent aux oreilles des enfants. Il semble très en colère et accuse les autres de se moquer de lui. Les inconnus essaient de le calmer, en vain.

— Je veux mon argent ! vocifère-t-il soudain. Je vous ai aidés, je vous ai cachés ici. J'ai couru des risques. Donnez-moi ce que vous m'avez promis !

La réponse des visiteurs ne le satisfait sans doute pas, car Mick, Claude et Grégory entendent alors le bruit d'un coup de poing et la chute d'un corps sur le sol, puis un autre coup suivi d'une seconde chute.

Marcel a un rire sardonique. Une fenêtre s'ouvre, et la voix anxieuse de M. Franck résonne dans l'obscurité :

— Qui est là ? Que se passe-t-il ?

Un bruit de vitre brisée lui répond. Le fils de Jeanne vient de ramasser une grosse pierre et de la lancer sur la plus proche verrière ! Il marque un temps, puis annonce d'une voix sonore :

— Ne vous inquiétez pas, monsieur Franck ! Je vais voir si je peux trouver le voyou qui vient de viser cette vitre. Je suis sorti tout à l'heure parce que j'ai entendu quelqu'un rôder par ici !

L'hypocrite feint alors de chercher le responsable ; avec sa lampe de poche, il éclaire tout autour de lui. Soudain, le faisceau de sa torche électrique rencontre les trois enfants, blottis les uns contre les autres... Il pousse une exclamation

138

de surprise et exploite aussitôt l'avantage d'une telle rencontre :

— Les voilà, les coupables ! hurle-t-il triomphant. Franck, venez vite m'aider à attraper ces trois gosses qui se cachent là ! J'en tiens deux ! Empoignez le troisième !

chapitre 17

Les événements
se précipitent

En moins de temps qu'il n'en faut pour le dire, les trois enquêteurs se trouvent saisis et solidement maintenus. Le gros Marcel tient fermement Mick et Grégory, tandis que Claude, en tentant de prendre le large, est tombée tout droit dans les bras de M. Franck.

— Qu'est-ce que ça signifie ? s'écrie celui-ci, furibond. Pourquoi êtes-vous venus casser les vitres de ma serre ? Tous mes papillons vont s'échapper !

— Laissez-moi ! Ce n'est pas nous qui avons jeté une pierre, proteste l'adolescente.

— C'est lui ! Je l'ai vu ! affirme le fils de Jeanne en désignant Grégory.

141

— Menteur ! lance ce dernier. Lâche-moi, Marcel. Je suis Grégory Thomas, de la ferme du Mont-Perdu. Si tu ne me laisses pas partir, tu auras affaire à mon père !

— Tiens, c'est toi, Greg ? ricane le colosse. Il paraît que ton père ne veut plus de moi ? Il trouve que j'ai de mauvaises fréquentations et que je bois trop, c'est ça ? Eh bien ! tu vas rester ici jusqu'à demain matin. Alors, je préviendrai la gendarmerie : tu casses les vitres de M. Franck, tu voles ses poules...

— Quoi ? hurle le jeune fermier qui s'étrangle de rage. C'est toi le voleur !

Marcel traîne les deux garçons en direction de la remise.

— Amenez le troisième gamin, monsieur Franck, crie-t-il. On les enfermera ici et on les laissera réfléchir jusqu'à demain matin, dans le noir.

Le véritable M. Rousseau s'est joint à son associé pour maintenir Claude, qui se débat comme une folle. Mais que peut-elle faire contre deux hommes ?

À ce moment, un aboiement lointain apporte à la jeune fille un immense espoir.

— Dago ! C'est bien lui ! s'exclame-t-elle. Appelons-le !

— Dagobert ! s'égosille Mick.

Le chien accourt vers lui et se met à grogner si férocement en direction de Marcel que celui-ci cesse de traîner ses deux prisonniers.

— Laissez-nous ou il vous mordra ! prévient Claude.

L'animal gronde plus fort, puis il effleure de ses crocs l'une des chevilles de Marcel, juste assez pour lui faire sentir la puissance de ses redoutables mâchoires. Aussitôt, le colosse lâche les deux garçons qui manquent de perdre l'équilibre, mais se sauvent bien vite. Alors Dagobert court à sa maîtresse. M. Franck et M. Rousseau, qui ne brillent pas par la bravoure, ont décampé dès qu'ils ont entendu les premiers grognements.

« Les chasseurs de papillons ne sont pas des chasseurs de fauves », pensent-ils en se réfugiant dans leur maison.

Dagobert force le fils de Jeanne à faire de même. Quand la porte s'est refermée sur les trois hommes, les jeunes aventuriers poussent ensemble un grand soupir de soulagement. Ils se sentent un peu étourdis de cette bagarre, où ils ont été tiraillés en tous sens.

— Avant de nous éloigner, allons voir qui sont les types que Marcel a assommés, dit Mick. Quelle nuit agitée ! Bravo, Dago ! Tu es arrivé juste à temps !

143

— Je pense que François et Annie nous l'ont envoyé parce qu'on tardait trop à rentrer, avance Claude. Il a retrouvé facilement nos traces.

Ils inspectent les environs du gros arbre mais ne voient personne. Les deux individus ont dû se relever et prendre la fuite.

— On n'a plus qu'à retourner chez nous, maintenant, grommelle Grégory. Notre expédition n'a pas servi à grand-chose !

— Non, convient Mick. Mais on a au moins la preuve que Marcel a été mêlé à une vilaine histoire, ainsi que les deux hommes qui sont venus lui parler.

— Oui, il les a aidés dans une affaire suspecte, il les a cachés ici et il n'a pas été payé de ses services, achève sa cousine. Mais pourquoi ?

— Aucune idée... Allons nous coucher. Demain matin, on en reparlera à tête reposée. À bientôt, Greg !

Ce dernier rentre chez lui, songeur. Que dira son cousin Roland, quand il lui racontera cette aventure... Mais pourra-t-il lui en parler ? D'après le communiqué de presse, Roland se trouverait au fond de la mer...

— Mais moi, je n'en crois pas un mot ! déclare tout haut le jeune fermier, comme pour se fortifier dans son opinion.

François et sa sœur attendent Mick et Claude

avec impatience. Quand enfin ils les entendent approcher avec Dagobert, ils se précipitent à leur rencontre.

— Qu'est-ce qui vous est arrivé ? questionne Annie. Vous revenez tellement tard ! On était morts d'inquiétude. Heureusement, je vois que Dago vous a bien trouvés !

— Oui, et on peut dire qu'il est tombé à pic ! répond sa cousine en souriant. On avait vraiment besoin de lui. Vous avez bien fait de nous l'envoyer.

— Il voulait te rejoindre, de toute façon. Il s'agitait et poussait des gémissements comme s'il te savait en danger. Alors, on l'a laissé partir.

— En effet, on était dans une situation difficile, avoue Mick en s'étendant sur son sac de couchage. Écoutez notre histoire !

Après avoir entendu le récit des deux enquêteurs nocturnes, François et Annie expriment leur étonnement.

— Drôle d'affaire, commentent-ils. Mais comment découvrir ce que Marcel a manigancé avec ses complices ?

— On pourrait peut-être tirer quelques renseignements de Jeanne... avance Claude. Il faudrait aller à la ferme demain matin et profiter d'une absence de Marcel pour discuter avec elle.

— Bonne idée ! approuve l'aîné de la bande.

145

Elle doit savoir pas mal de choses puisque son fils a caché des étrangers dans la maison. Ces gens-là ne sont pas restés sans manger. Elle a dû leur préparer les repas. Oui, si Jeanne accepte de parler, elle pourra nous mettre sur la voie !

— Maintenant, il faut se coucher, affirme sa cousine en bâillant. Je suis épuisée. Je me demande si Greg est bien rentré chez lui et s'il dort déjà !

À la ferme du Mont-Perdu, Grégory, dans son lit, ne peut fermer l'œil. Il pense à son cousin Roland. Le jeune fermier refuse farouchement de croire à son implication dans un complot et à sa mort. Ah ! si seulement il pouvait faire quelque chose... le disculper...

Le lendemain, les membres du Club des Cinq se réveillent très tard, même Dagobert. Il ne reste plus grand-chose dans le garde-manger.

— N'oublions pas de descendre à la ferme pour nous ravitailler, si Greg ne nous apporte pas ce qu'il nous faut ce matin, rappelle Annie.

Ils déjeunent de tartines à la confiture.

Quand ils ont terminé, François annonce :

— On va tout de suite se rendre chez M. Franck. Toi, Mick, tu essaieras de faire parler Jeanne. Elle avait l'air tellement touchée quand tu lui as donné l'argent du papillon !

— D'accord, acquiesce Mick. Vous êtes prêts ?

Tout le monde se met en route. Dagobert suit sagement. Dès que la ferme des Papillons est en vue, ils ralentissent le pas : il ne faudrait pas se retrouver nez à nez avec le gros Marcel ! Mais ils n'aperçoivent que la vieille cuisinière, en train d'étendre le linge. Ses mains tremblent si fort que, à deux reprises, des chemises lui échappent et tombent à terre.

— On devrait aller l'aider, dit Annie. Ça nous ferait une entrée en matière.

Elle s'approche de la femme.

— Laissez-moi ramasser ces habits, propose-t-elle de sa voix la plus douce.

En même temps, elle remarque que Jeanne a un visage décomposé, plus égaré que jamais.

— Ça ne va pas ? interroge la fillette. Vous êtes malade ?

L'autre marmonne une réponse incompréhensible. Elle semble très étonnée de cette aide inattendue, mais ne proteste pas. Elle laisse la benjamine des Cinq étendre adroitement le linge à sa place.

En terminant, celle-ci demande :

— Est-ce que M. Franck et M. Rousseau sont ici ?

— ... chasse aux papillons...

147

Annie risque encore :

— Et votre fils ? Il est à la maison ?

À ces mots, Jeanne éclate en sanglots. Elle se couvre le visage des mains et se dirige d'un pas incertain vers la cuisine.

La fillette reste interdite. Mick se précipite et aide la vieille femme à rentrer dans la maison ; il la fait asseoir dans son fauteuil. Elle l'observe longuement à travers ses larmes.

— Ah ! soupire-t-elle. Je te reconnais. Tu es un gentil garçon. Tu m'as donné quelque chose l'autre jour. Mon fils est méchant... si méchant... Il me prend tous mes sous... Et puis... il a...

Elle n'achève pas sa phrase. Mick remarque qu'elle tremble de tous ses membres.

— Où est-il ? questionne-t-il très doucement.

Elle recommence à pleurer.

— Les gendarmes sont venus le chercher ce matin, bredouille-t-elle entre deux sanglots.

Le garçon consulte du regard les autres, qui s'approchent sans bruit. A-t-il bien entendu ? François lui fait signe de continuer son petit interrogatoire.

— Vous dites que les gendarmes l'ont emmené ? reprend-il. Et pourquoi ?

— Il paraît qu'il a volé les canards du voisin. Mon fils n'était pas comme ça, avant. Ce sont ces hommes qui l'ont changé...

— Quels hommes ? insiste Mick en pressant doucement la vieille main ridée qui repose sur le bras du fauteuil. Dites-nous ce que vous savez. On veut vous aider.

— Tu veux aider une pauvre vieille comme moi ? Tu es un bon garçon. Ce sont ces types-là qui ont changé mon fils, je vous dis... répète-t-elle en hochant la tête.

— Où sont-ils maintenant ? Votre fils les a cachés ici, c'est ça ?

— Oui. Ils étaient quatre et ils avaient promis de l'argent à Marcel pour qu'il les cache dans cette maison. Quand ils se réunissaient dans la chambre, là-haut, ils parlaient de leur secret. J'ai écouté et j'ai tout entendu...

— Quel est ce secret ? intervient François, dont le cœur bat plus vite.

— Ils observaient quelque chose, explique Jeanne dans un souffle. Quelque chose au pied du Mont-Perdu. Parfois le jour, parfois la nuit, ils regardaient toujours avec des jumelles... Ils restaient tous dans la seule chambre disponible là-haut. Je leur apportais à manger, parce que mon fils m'y obligeait, mais je ne les aimais pas...

De nouveau, elle fond en larmes. Les Cinq se regardent, embarrassés.

— N'insistons pas, vous voyez bien qu'elle est malade de chagrin, chuchote Annie.

149

Des pas résonnent dans le couloir, puis M. Franck pénètre dans la cuisine. Il est très étonné d'y trouver tant de monde.

— Quoi ? Vous êtes encore là ? s'écrie-t-il en voyant Mick et Claude. J'ai déposé une plainte contre vous à la gendarmerie. Vous serez punis pour être venus casser mes vitres, la nuit dernière. Comment osez-vous revenir ici, après ce que vous avez fait ?

chapitre 18

Où chercher ?

— On s'en va, monsieur Franck, réplique
Mick froidement. Je vous assure qu'on sera très
heureux de voir les gendarmes, si vraiment ils
nous cherchent. On a des choses à leur raconter.
Il s'est passé chez vous des choses très surpre-
nantes, que vous n'avez même pas remarquées.
Vous ne pensez qu'à vos papillons !

— Est-ce que ça te regarde ? Petit préten-
tieux ! Impoli ! hurle l'éleveur.

— Il se pourrait que la police vous pose des
questions au sujet des quatre hommes qui se sont
cachés chez vous ces derniers temps ! intervient
François avec vigueur.

— Des hommes ? Chez moi ? Qui donc ? bredouille M. Franck, stupéfait.

— C'est encore un mystère, répond l'aîné des Cinq. Mais on le percera !

Le Club des Cinq se retire dignement, laissant l'éleveur de papillons abasourdi et très inquiet.

— Ce type n'est qu'un égoïste ! s'offusque Claude. Il fait travailler cette pauvre Jeanne et ne s'intéresse pas du tout à elle, sinon il aurait remarqué à quel point elle est malheureuse !

— Vous avez compris ce qu'elle a voulu dire ? questionne Annie. Quatre hommes dans une chambre, en train de surveiller un point précis au pied du Mont-Perdu... Pourquoi ?

— C'est sans doute l'un d'eux que tu as vu en pleine nuit, François, avance Mick. Il essayait de faire croire qu'il était M. Rousseau pour justifier sa présence.

— Oui, tu as raison. Bien sûr, il était venu épier la base aérienne... C'est ça ! Lui et ses complices l'observaient nuit et jour et payaient Marcel pour les héberger dans cette maison à la situation idéale. Ce sont eux sûrement qui...

— Ne t'emballe pas, l'interrompt Claude. Je crois comme toi que ces quatre types sont mêlés à l'affaire des avions. Mais ça n'innocente pas Roland Thomas ni son ami. Ils étaient peut-être tous complices... Enfin, on est sur une piste. On doit voir Grégory et ses parents ! On leur racontera tout ce qu'on sait.

— C'est ça, allons-y tout de suite ! renchérit Annie. On a besoin d'aide, maintenant !

Ils prennent le chemin de la ferme du Mont-Perdu. Quand ils sont arrivés dans la cour, ils appellent :

— Greg ! Tu es là ? On t'apporte des nouvelles !

Le jeune fermier apparaît à la porte de la remise, pâle et défait, car il n'a pas fermé l'œil de la nuit.

— Salut ! lance-t-il, heureux de voir ses amis. Quoi de neuf ? J'espère qu'il s'agit de Roland. Je ne peux pas m'empêcher de penser à lui constamment !

— Où est ton père ? demande François. Il faut qu'il entende ce qu'on a à te dire. Il trouvera peut-être une solution.

— Papa ! Papa ! crie Grégory en mettant ses mains en porte-voix autour de sa bouche.

M. Thomas accourt aussitôt du pré voisin, où paissent de belles vaches noires et blanches.

— Que veux-tu ? J'espère que tu ne me déranges pas pour rien. Je suis occupé !

— Papa, mes amis ont quelque chose d'important à te dire. Ce ne sera pas long.

153

— Vraiment ? Qu'y a-t-il ? J'espère que vous n'avez pas d'ennuis...

— Non, monsieur, dit Mick. On sera aussi brefs que possible.

Il raconte l'histoire de la ferme des Papillons, du prétendu M. Rousseau, de la vieille Jeanne et de son fils Marcel. Le fermier hoche la tête.

— Oui, dit-il. Marcel Caron a terriblement changé depuis un an. Il s'est mis à fréquenter des voyous... Il est possible que les hommes qu'il cachait chez M. Franck soient mêlés à l'affaire de l'autre nuit.

Grégory paraît très heureux d'entendre son père parler ainsi.

— Mais oui ! s'écrie-t-il, ce sont eux qui ont enlevé les avions ! Ils étaient quatre ; assez pour capturer Roland et son ami Jean, et les enfermer quelque part... Deux d'entre eux ont pu s'emparer des appareils...

Le fermier semble perplexe.

— Tu as peut-être raison... acquiesce-t-il. Il faut mettre les gendarmes au courant sans tarder. Ils sauront bien faire parler Marcel. Si Roland et Jean Dufrêne sont prisonniers quelque part, il est urgent de les rechercher pour les libérer !

Son fils danse de joie.

— Je n'ai jamais douté de mon cousin

154

Roland ! s'exclame-t-il. Papa, vite, avertissons la police !

M. Thomas se hâte d'aller téléphoner. Le brigadier l'écoute, surpris, mais parfaitement conscient de l'importance de l'information.

— Je vais faire interroger immédiatement Marcel Caron ; nous l'avons arrêté hier pour vol de canards. Nous l'avons donc sous la main. Je vous rappellerai dans une demi-heure.

Le temps paraît long aux enfants, impatients d'en apprendre davantage... Trois quarts d'heure s'écoulent avant que retentisse la sonnerie du téléphone. Alors, tout le monde sursaute. Le fermier s'empresse de décrocher. Les enfants étudient sa physionomie, tandis qu'il écoute les explications du brigadier. Ils voient ses sourcils se froncer, et leur cœur s'arrête de battre.

— C'est terrifiant, en effet, conclut M. Thomas. Merci. Au revoir !

Il raccroche.

— Papa ! Est-ce que Roland se trouvait dans l'un des avions ? demande Grégory, angoissé.

— Non, répond nettement le père.

L'ami des Cinq pousse un cri de triomphe et fait un bond en l'air.

— C'est la seule chose qui compte ! lance-t-il.

— Attends une minute avant de te réjouir,

155

l'interrompt le fermier. Marcel Caron a avoué que les hommes qu'il a introduits et hébergés chez M. Franck avaient pour mission de s'emparer des avions. Cette équipe se composait de deux pilotes-bandits et deux complices, désignés pour s'emparer de Roland et de Jean Dufrêne, la nuit de la tempête. Ces brutes ont réussi à surprendre les aviateurs et à les entraîner sur les pistes de la base aérienne. Puis les deux pilotes-bandits sont montés dans les avions et ont décollé. Quand l'alerte a été donnée, il était trop tard...

— Donc, ce sont les pilotes-bandits qui ont été noyés quand les appareils sont tombés dans la mer ? questionne Mick.

— Oui. Seulement, les complices qui se sont emparés de Roland et de son ami n'ont pas révélé à Marcel où ils avaient caché les aviateurs ; de plus, il n'a pas été payé de ses services, parce que le plan des bandits a échoué et que les prototypes ont été détruits.

— On peut donc craindre que les deux espions se soient enfuis, en abandonnant Roland et Jean Dufrêne dans un lieu où on ne les retrouvera jamais ! achève Grégory, subitement abattu par cette perspective tragique.

— Il faut essayer de les retrouver rapidement, car ils risquent de mourir de faim, surtout si les espions les ont abandonnés pieds et poings liés.

— C'est infâme ! se désole le jeune fermier. Oh ! Papa ! Il faut se lancer sur leurs traces dès maintenant !

— Bien sûr. Je suis de ton avis, tout comme les gendarmes. Malheureusement, personne ne sait où chercher.

Un lourd silence s'abat.

« Où chercher ? Où chercher ? » se répète désespérément chacun des enfants.

chapitre 19

Une matinée bien remplie

Où peuvent bien se trouver Roland Thomas et Jean Dufrêne ? Sont-ils prisonniers ? Morts de faim ?

— Ils sont sûrement furieux d'avoir été enlevés, avance Mick. Je pense que les espions avaient un complice dans l'aéroport.

— C'est possible, acquiesce M. Thomas. Un coup comme celui-là se prépare longtemps à l'avance.

— Ce que je n'arrive pas à comprendre, c'est comment M. Franck et M. Rousseau ont pu ne rien soupçonner. Ils ont eu quatre étrangers sous leur toit, et ils n'ont rien remarqué ni entendu ! s'étonne Claude.

159

— Ils sont obsédés par leurs chers papillons, explique François. Ce sont des maniaques ! Mais leur indifférence au reste du monde risque de leur coûter cher !

Il se tourne vers le père de Grégory, plongé dans de profondes réflexions.

— Est-ce qu'on peut se rendre utiles ?

— Non, pas pour le moment. La police a entrepris des recherches dans toute la région. Elle a des moyens que nous n'avons pas. Elle est peut-être déjà sur la bonne piste : deux ou trois personnes ont signalé une grosse voiture qui roulait à toute allure hier, de très bon matin. Le brigadier pense que ce véhicule a pu être utilisé pour transporter Roland et son collègue dans un lieu éloigné et désert, une carrière abandonnée par exemple...

Un silence consterné suit cette déclaration. Le Club des Cinq ne peut absolument rien entreprendre. Il lui est impossible de fouiller toute la région pour essayer de retrouver Roland et son ami. Seuls les gendarmes ont quelques chances de réussir.

— Je retourne travailler, annonce M. Thomas. Où est ta mère, Grégory ? Il faut la mettre au courant de tous ces événements.

— Elle est partie faire des courses en ville. Le car ne la ramènera que vers midi.

— Et Nicolas ? Parti avec sa mère, sans doute ? Où est Dudule ? Le petit ne l'a tout de même pas emmené avec lui ?

— Je crois bien que si, puisqu'on ne voit ni l'un ni l'autre.

Il regarde ses camarades et paraît se souvenir tout à coup de quelque chose.

— Dites, ne seriez-vous pas à court de provisions, par hasard ? Vous voulez que j'aille vous en chercher ?

— Euh... oui, si ça ne te dérange pas trop, approuve l'aîné des Cinq, confus.

— Annie, viens avec moi, tu me diras ce dont vous avez besoin, propose gentiment Grégory.

La fillette profite de l'occasion pour essayer de réconforter le pauvre garçon. Elle lui rappelle que la gendarmerie recherche activement les deux lieutenants.

— Tu veux qu'on reste ici ce matin pour t'aider ? suggère Claude quand les deux enfants reviennent avec du ravitaillement. On sait que tu as beaucoup de travail. En nous y mettant tous ensemble, on avancera vite, et ça nous distraira de nos soucis.

— Avec plaisir, répond l'autre sans hésitation. Je dois nettoyer le poulailler. Si vous m'aidez, ce sera bientôt fait. Je suis aussi chargé d'arracher

161

les mauvaises herbes qui poussent au pied des rosiers.

— D'accord. On travaillera avec toi toute la matinée, puis on ira déjeuner à notre camp, là-haut. Si tu es libre, tu monteras nous rejoindre cet après-midi.

— Parfait ! Venez par ici. Je vais chercher les brosses et tout le matériel nécessaire.

Tandis qu'ils travaillent, Annie dit en soupirant :

— Dommage que Nicolas soit absent. Il est si mignon et si drôle.

— C'est vrai, acquiesce sa cousine. Souvent, les petits m'ennuient, mais celui-là est vraiment gentil. Il pose des questions inattendues et nous fait bien rire avec son petit cochon, qui se comporte presque comme un chien.

Les cinq enfants ne ménagent pas leur peine. Vers onze heures et demie, le poulailler, assez vaste, est parfaitement nettoyé et sèche au soleil. Quant aux rosiers, ils sont débarrassés de toutes les mauvaises herbes qui les entourent. Chacun se sent fier du labeur accompli.

Ils entendent un car qui s'arrête, à quelque distance de la ferme.

— Mme Thomas va arriver, s'écrie Claude. Elle va avoir une belle surprise ! Dépêchons-nous de ramasser les herbes arrachées qui traînent encore par-là. On n'a plus que quelques minutes.

Les trois garçons rassemblent les brosses et le reste du matériel pour les ranger dans la remise. Dagobert les suit, le pelage un peu sali.

— Il est l'heure de préparer le déjeuner, et d'ici à ce qu'on soit arrivés en haut de la colline, on sera tous affamés comme des loups, prévient Annie.

— Prenez les devants, conseille François. Mick et moi, on aide Greg à ranger ses affaires et on vous suit avec les provisions.

— Bon. On emporte la salade et les légumes, vous vous chargez du reste, décide sa sœur. Dagobert, viens avec nous !

Avant de partir, les filles cherchent à voir Mme Thomas, mais celle-ci a disparu dans les profondeurs de l'étable.

— Tant pis, elle doit être occupée, estime Claude. Partons.

Elles quittent la ferme, suivies de Dago. La faim les tenaille déjà, car le jardinage est un exercice fatigant. Bientôt, elles sont hors de vue.

Les garçons se lavent les mains au moyen du tuyau d'arrosage. Grégory court voir sa mère, qui vient de regagner la cuisine ; il veut la mettre au courant de ce qu'il sait au sujet de son cousin. Mais M. Thomas l'a devancé.

— Pauvre Roland, dit-elle quand Grégory entre.

— Tiens, Nico n'est pas là ? questionne-t-il. Tu ne l'as pas oublié dans le car, maman ?

— Comment ? s'écrie cette dernière, surprise et paniquée. Il n'est pas avec vous ? Je l'ai pourtant laissé à la ferme ce matin, car j'avais trop de courses à faire. Il n'aurait pas pu me suivre.

— Mais... on ne l'a pas vu de la matinée...

— Je pensais que tu veillerais sur lui, comme tu le fais d'habitude ! lance sa mère d'un ton de reproche.

— Tout le monde a cru que tu l'avais emmené avec toi, rétorque Grégory. Il s'est encore sauvé !

À ce moment-là, François et son frère entrent dans la cuisine et saluent la fermière. On les informe de la disparition de Nicolas.

— Il est peut-être parti en haut de la colline, pour voir comment on s'est installés pour camper ? hasarde Mick. Il en avait tellement envie !

— Greg, cours vite jusqu'à l'étang, ordonne Mme Thomas toute pâle. Regarde aussi dans la remise. Il aime s'amuser avec les machines agricoles, et c'est très dangereux. Oh ! Nicolas, mon petit Nicolas ! Où es-tu ?

Elle se tourne vers les garçons :

— En effet, il m'a dit qu'il voulait aller vous voir. Montez vite là-haut ! Appelez-le tout le long du chemin. Il a pu se perdre en route. C'est loin pour un petit bonhomme comme lui ! Après tout, peut-être que son cochon s'est sauvé, comme il le prétend si souvent, et qu'il l'a suivi. Pourvu qu'on le retrouve vite !

chapitre 20

Un curieux message

Grégory court jusqu'à l'étang, qui est assez profond en son milieu. Il pense avec inquiétude que son petit frère ne sait pas nager. Mick et François prennent le chemin qui escalade le Mont-Perdu, en criant à pleine voix :

— Nicolas ! Nicolas !

L'écho répète leur appel à travers la colline.

— Ce gamin est trop aventureux ! Son cochon lui fournit de bons prétextes pour partir en exploration, lâche Mick. J'espère que nous le trouverons là-haut. Tu crois qu'il aura découvert l'endroit où on campe ? La route est longue et difficile pour ses petites jambes !

— Quelle journée ! soupire son frère. On a

167

déjà perdu la trace de Roland et son collègue, et voilà que Nicolas disparaît ! Je me demande pourquoi on est toujours mêlés à ce genre d'étrange aventure !

L'autre le regarde d'un air moqueur.

— Allez, sois honnête, raille-t-il. S'il ne nous arrivait plus rien, tu t'ennuierais. Viens ! Appelons de nouveau !

Ils parviennent à leur camp sans avoir trouvé trace de Nicolas ni de son porcelet. Annie et Claude sont seules, avec Dagobert. En apprenant la disparition du petit garçon, la benjamine des Cinq pâlit.

— Il faut le chercher partout ! annonce-t-elle.

— Bien sûr, mais d'abord, préparons rapidement quelques sandwichs ! intervient Mick qui meurt de faim. On les mangera en continuant nos recherches.

Tous sont d'accord.

— Comment procéder ? interroge la maîtresse de Dagobert en coupant de larges tranches de pain. On pourrait se séparer pour fouiller toute la colline...

— Oui, approuve l'aîné de la bande. Annie et Mick, vous parcourrez le haut du Mont-Perdu, pendant que Claude et moi, on descendra dans des directions différentes. L'un de nous ira jusqu'à la ferme des Papillons, au cas où Nicolas se serait aventuré jusque-là.

Bientôt, la colline entière retentit d'appels répétés :

— Nicolas ! Nicolas ! Nico !

Dago sait qu'il faut retrouver le petit garçon perdu et il cherche sa trace, mais en vain.

François va jusqu'à la ferme des Papillons et n'y voit personne, pas même la vieille Jeanne. Quant aux deux éleveurs, c'est Annie qui les rencontre ; ils sont très occupés à chasser les papillons. Elle les interpelle et leur demande :

— Vous avez vu un jeune garçon d'environ cinq ans et un petit cochon ?

— Non, répondent-ils. On n'a rencontré personne.

Deux heures s'écoulent avant que Nicolas soit retrouvé. Le Club des Cinq vient de se regrouper, désolé de son échec, quand soudain Dagobert s'arrête net et se met à aboyer, d'une voix qui dit clairement : « J'ai entendu quelque chose d'intéressant ! »

— Cherche, Dag, cherche ! commande Claude aussitôt.

Le chien s'élance ; de temps en temps, il ralentit, semblant écouter attentivement le bruit qui le guide. Les enfants, derrière lui, tendent aussi l'oreille, mais aucun son ne leur parvient.

169

L'animal prend résolument le chemin des grottes d'Enfer.

— Ça alors ! s'écrie François. Nicolas serait allé par là ? C'est loin de la ferme de ses parents, et très dangereux pour lui ! Dépêchons-nous !

Un peu plus tard, ils commencent à percevoir de faibles gémissements, puis une petite voix qui appelle désespérément :

— Dudule ! T'es où ?

Dagobert arrive le premier auprès du garçonnet. Quand le groupe les rejoint, le chien lèche gentiment les cheveux blonds de Nicolas, assis juste devant l'entrée des grottes.

— Enfin, te voilà ! soupire Annie, en se penchant sur le fugitif qui cesse aussitôt de pleurer.

— Dudule s'est sauvé par-là, explique l'enfant en désignant l'entrée des cavernes.

— Heureusement que tu ne l'as pas suivi, pour une fois ! fait remarquer Claude. On ne t'aurait peut-être jamais retrouvé. Viens, on va te ramener chez toi.

Elle veut le prendre dans ses bras, mais le petit se débat de toutes ses forces.

— Non ! Je ne veux pas partir sans Dudule !

— Mon chéri, il reviendra tout seul à la ferme quand il en aura assez de se promener dans les grottes, tente de l'amadouer Annie. Ta maman te réclame, elle est très inquiète. Et je suis sûre que tu as très faim.

— Oh ! oui, admet Nicolas.

Il se laisse convaincre et emmener.

Quand Mme Thomas voit arriver le Club des Cinq, avec son jeune fils, elle pousse de joyeuses exclamations. Chacun est si heureux d'avoir retrouvé Nicolas qu'on en oublie pour un moment les deux aviateurs.

On met le garçonnet à table, où il mange de bon appétit. Quand il est rassasié, il se lève et annonce gravement :

— Maintenant, je vais chercher Dudule.

— Ah ! non, s'oppose sa mère. Tu vas rester ici et m'aider à préparer un beau gâteau. Dudule reviendra bientôt, car lui aussi doit avoir faim. Un peu de patience. Si on faisait une tarte aux fraises ?

La gourmandise l'emporte encore une fois.

— Je veux bien, cède Nicolas.

Une heure plus tard, tandis que François, Mick, Annie et Claude aident leur ami Grégory à des travaux divers, le porcelet fait dans la cour de la ferme une entrée qui ne passe pas inaperçue.

Dagobert se précipite le premier vers lui et lui lèche une oreille. Le cochon grogne ; il cherche son jeune maître. Quand il s'approche de François, celui-ci se met à rire :

— Tiens, dit-il, on dirait que quelqu'un a tracé sur son dos des lettres noires !

Il attrape l'animal, qui proteste vigoureusement.

Mick s'approche, intéressé.

— Je ne peux pas déchiffrer ces lettres, constate l'aîné des Cinq. Quelle idée d'écrire sur le dos d'un petit cochon ! C'est idiot ! Heureusement, ce sera facile à effacer !

Il se baisse déjà pour essuyer les traces avec l'un des chiffons qui se trouvent à sa portée, quand son frère l'arrête net.

— Attends une minute ! Laisse-moi voir ça. Regarde ! On dirait un R et un T et, en dessous, J et D, non ?

Tous les enfants, vite rassemblés autour du porcelet vagabond, examinent la curieuse inscription, fascinés.

— R.T. ! s'écrie Grégory avec force. Ce sont les initiales de mon cousin, Roland Thomas ! Et J.D. celles de son ami, Jean Dufrêne. Qu'est-ce que ça signifie ? Qui a laissé ces marques ?

— Regardez, ajoute Claude. Il y en a d'autres, plus petites et presque effacées. Tiens bien le cochon, Mick. Il n'arrête pas de remuer ! Il faut absolument déchiffrer ce message ! Je suis persuadée qu'il provient des deux aviateurs. Ce brave Dudule, dans son exploration, a dû découvrir l'endroit où ils sont prisonniers !

Tous se penchent anxieusement sur les lettres mystérieuses, si brouillées qu'elles semblent illisibles. Pourtant, Annie parvient à les déchiffrer.

— Sept lettres... La première est un C, ou un G un peu effacé..., ici il y a deux T... J'y suis ! C'est « grottes » ! s'écrie-t-elle triomphalement. D'ailleurs, le porcelet sort effectivement des grottes d'Enfer !

— Eh bien, c'est là que Roland et Jean ont été transportés et abandonnés ! Tout près de nous ! Où est ton père, Greg ?

— Je vais le chercher !

Quand M. Thomas est informé de cette découverte et qu'il voit le dos du petit cochon, il reste perplexe un moment.

— Alors, comme ça, Dudule est allé jusqu'aux grottes ? articule-t-il pensivement. C'est un phénomène ! Il faut qu'il fourre son nez partout. Je n'en reviens pas qu'il ait réussi à rejoindre mon neveu et son collègue. Tout de même, c'est bizarre que ceux-ci n'aient pas plutôt attaché un message à sa queue, ou autour de son cou. Ces lettres sont difficiles à lire !

— J'ai failli les effacer, pensant que quelqu'un avait fait une farce à Dudule, confie François. Pour un peu, on n'aurait jamais retrouvé la trace

173

des aviateurs. Qu'est-ce qu'on va faire maintenant, monsieur Thomas ? Se rendre aux grottes ? C'est urgent !

— Il faut mettre les gendarmes au courant de cette découverte, car ils recherchent les aviateurs partout. D'autre part, vous allez tout de suite filer aux grottes d'Enfer, décide le fermier. Prenez un peloton de ficelle avec vous. Roland et Jean n'ont certainement pas été abandonnés dans l'un des tunnels pourvus d'une corde et sécurisés. Il faudra donc chercher dans les autres passages. Si vous dévidez le peloton de ficelle en avançant, vous pourrez facilement revenir sur vos pas. Et emmenez votre chien ! Il vous sera utile.

— C'est sûr ! approuve Claude.

— On prendra aussi avec nous le petit cochon, ajoute Annie. Dagobert le flairera et suivra les traces que Dudule aura laissées en se promenant dans les grottes. Ça nous épargnera de longues recherches.

Le Club des Cinq se met en route avec Grégory, plus impatient encore que ses amis.

— Roland, tiens bon ! lance-t-il, comme si son cousin pouvait l'entendre. On arrive !

Une fin mouvementée

Les cinq enfants se hâtent sur le chemin des grottes d'Enfer. Grégory porte le petit cochon, qui, effrayé, tente de se dégager et pousse des grognements incessants ; personne n'y prête attention. Cet animal peut leur rendre un grand service. Dagobert suit. Il sent qu'il se passe quelque chose de très important et qu'on va peut-être avoir besoin de lui.

Le groupe arrive enfin devant l'entrée des grottes.

— Dagobert ! appelle Claude, tandis que Grégory dépose à terre et maintient fermement le porcelet, qui continue de protester. Dagobert, viens ici !

175

Le chien s'approche docilement de sa maîtresse.

— Flaire ! ordonne-t-elle en lui montrant Dudule. Flaire encore ! Très bien ! Maintenant, suis ses traces. Allez, viens par ici, dans les cavernes. Suis ses traces, Dago !

Son compagnon a compris. Il sait très bien s'acquitter d'une telle mission. Il pointe son museau vers le sol et a tôt fait d'y retrouver l'odeur du cochon. Alors il s'engage dans la première caverne, puis se retourne vers Claude et la regarde d'un air interrogateur.

— Va, Dagobert, va ! l'encourage-t-elle.

L'animal reprend la piste et continue d'avancer.

— Il est surpris qu'on l'envoie sur la piste de Dudule qui est pourtant auprès de nous, explique la jeune fille. J'ai craint un instant qu'il n'abandonne ce qui, dans son esprit, doit être un jeu stupide. Mais non ! C'est une brave bête, qui ne discute pas les ordres. Suivons-le !

Ils arrivent dans la merveilleuse grotte aux colonnes scintillantes, et ne peuvent s'empêcher de l'admirer encore au passage. Puis ils traversent celle où l'on peut voir toutes les couleurs de l'arc-en-ciel. Ils se croient un instant au pays des fées...

Bientôt ils sont à l'endroit d'où partent trois étroits passages.

— Je parie que Dago ne s'engagera pas dans la galerie du milieu, celle que prennent les touristes, présume François.

Il termine à peine sa phrase que le chien se dirige délibérément dans le tunnel de gauche. Il suit les traces du petit cochon.

— J'en étais sûr ! s'écrie l'aîné des Cinq, et l'écho répète : « ... étais sûr, sûr, sûr... »

— Vous vous rappelez ces bruits étranges qu'on a entendus ici l'autre jour, ce sifflet assourdissant et ce cri terrible ? dit Mick. Voici ce que je crois : quand on visitait les grottes, les espions devaient être en train d'amener Roland et son ami dans le souterrain ! Les aboiements de Dagobert les ont probablement inquiétés. Alors, ils ont cherché à nous effrayer pour nous faire fuir, en hurlant et en émettant des sons stridents.

— Et ils ont réussi leur coup, constate Annie. Avec l'aide de l'écho, l'effet était terrifiant ! Brrr... Quand finira donc cet interminable tunnel ? Il fait tellement froid. Regardez, voilà qu'il se divise en deux !

— Dag saura trouver la bonne voie, assure sa cousine, plus fière que jamais de son fidèle compagnon.

En effet, l'animal, toujours flairant le sol, s'engage à droite sans hésiter.

— On n'avait pas besoin d'emporter un peloton de ficelle, avec un limier pareil ! fait remarquer Grégory, Ce chien nous ramènera sans difficulté vers la sortie.

— Bien sûr, acquiesce François. Mais, sans lui, on se perdrait. Il y a tant de tunnels, et tant de cavernes ! Maintenant, on doit être au centre de la colline. C'est impressionnant !

Soudain, Dagobert s'arrête, le museau levé, les oreilles dressées. Entend-il quelque chose que les enfants ne peuvent percevoir ? Il aboie. Aussitôt, une voix qui ne vient pas de très loin appelle :

— Hé ! Par ici ! Par ici !

— C'est Roland ! s'exclame le jeune fermier qui se met à sauter de joie dans le sombre tunnel. Roland, tu m'entends ? Roland !

La réponse ne se fait pas attendre.

— Greg ! Par ici !

Dagobert se précipite en avant, mais il ne va pas loin. Tout d'abord, les jeunes aventuriers ne comprennent pas pourquoi. Puis ils constatent que le passage se termine en cul-de-sac. Devant le chien se dresse un mur ! Pourtant, la voix de Roland Thomas leur parvient clairement :

— Tu es là, Greg ?

— Regardez ! s'écrie François. Il y a un trou dans le sol du tunnel, juste devant Dago ! C'est là que sont les aviateurs. Dans ce trou ! Sous nos pieds !

Avec leurs lampes de poche, les enfants voient un jeune homme étendu sur le sol d'une petite caverne, située juste en dessous du tunnel. À côté de son collègue, Roland Thomas se tient debout, la tête levée vers les arrivants qui lui apportent un immense espoir, après tant de souffrances. Ébloui par les lumières, il cligne des yeux.

— Vous nous avez découverts ! soupire-t-il.

— Roland, je suis tellement heureux de t'avoir retrouvé ! lance son cousin tout bouleversé.

— Il était temps ! Les bandits, en nous abandonnant ici, ont prévenu qu'ils ne reviendraient plus et nous laisseraient mourir de faim et de soif ! Jean s'est tordu une cheville en tombant. Il ne peut pas marcher. Mais avec votre aide, on va pouvoir le remonter !

— Quelle est la meilleure manière de t'aider à sortir de là ? questionne Grégory. Le trou n'est pas très profond...

— La première chose à faire serait de me tirer vers vous, si c'est possible. Ensuite, deux des garçons pourraient descendre ici pour aider Jean à se mettre debout ; je pense que j'arriverai à le hisser. Quel piège épouvantable ! Pas moyen de sortir, excepté par ce trou placé trop haut pour que je puisse l'atteindre !

Roland, François et Mick se livrent alors à une véritable séance d'acrobatie. Les deux frères parviennent à tirer Roland en se couchant à plat ventre dans le tunnel. Grégory et Claude les tiennent par les jambes pour les empêcher de tomber dans la cavité. Quant à Annie, elle barre la route au petit cochon, qui veut absolument descendre rejoindre les aviateurs !

Quand le lieutenant Thomas est parvenu dans le tunnel, François et Mick sautent auprès de Jean Dufrêne. Celui-ci semble tout étourdi. Roland dit qu'à son avis Jean a dû se blesser non seulement à la cheville, mais aussi à la tête, lorsque les bandits les ont basculés dans le trou.

Dagobert trouve tout cela absolument extraordinaire et aboie comme un fou, à la grande frayeur du porcelet.

— Ouf ! fait le cousin de Grégory, lorsque son ami est remonté près de lui. J'ai cru ne jamais sortir d'ici ! Sauvons-nous de ce lieu atroce. Enfin, on va pouvoir respirer de l'air pur, boire et manger ! Ah ! boire surtout ! J'ai l'impression d'avoir été abandonné là depuis des semaines...

Les jeunes aventuriers soutiennent Jean. Ils gagnent tous la sortie, à la suite de Dagobert qui connaît le chemin et n'hésite pas une seule fois en route.

Quand ils sont enfin dehors, sous le soleil brillant, les deux hommes, longtemps enfermés dans l'obscurité, doivent abriter leurs yeux éblouis.

— Asseyez-vous un instant pour vous habituer à la lumière, recommande François. Et dites-nous comment vous avez réussi à inscrire votre message sur le dos du porcelet. Il a fallu qu'il descende dans le trou !

Roland sourit.

— Eh bien, commence-t-il, on était piégés dans la cavité, Jean et moi, sans montre, sans aucun moyen de savoir si c'était le jour ou la nuit, quand tout à coup on a entendu un bruit au-dessus de nos têtes... Puis, quelque chose nous est tombé dessus. On a compris qu'il s'agissait d'un petit cochon, aux grognements qu'il a poussés. Inutile de vous dire à quel point on était surpris que cet animal soit arrivé jusqu'à nous... Mais j'ai reconnu Dudule, le petit compagnon de mon cousin Nicolas !

— Alors, qu'est-ce que vous avez fait ? presse Mick, curieux.

— On n'a pas eu tout de suite l'idée de l'utiliser comme messager. C'est Jean qui y a pensé le premier. On s'est dit que le porcelet, une fois libéré, retrouverait sa route, guidé par son instinct très fiable, et retournerait forcément à sa ferme. C'est ainsi qu'on a décidé d'envoyer un S.O. S. grâce à ce visiteur inattendu...

— Le message était difficile à déchiffrer, fait remarquer l'aîné des Cinq.

— Ça ne m'étonne pas, reprend Roland. Figurez-vous que les espions nous avaient tout enlevé : stylos, argent, montres et lampes. De plus, on était plongés dans l'obscurité. Vu les circonstances, reconnaissez qu'on a tout de même fait du bon travail !

— Mais alors vous n'aviez rien pour écrire ? demande Claude, intriguée.

— Presque ! Jean a retrouvé un crayon à mine grasse au fond de l'une de ses poches. On l'utilise pour marquer notre route aérienne sur de grandes cartes. Il a maintenu solidement le petit cochon pendant que je traçais sur son dos nos initiales, ainsi que le mot « grottes ». Je ne voyais pas ce que j'écrivais, mais je m'appliquais... Puis je me suis levé et, après plusieurs tentatives, j'ai réussi à renvoyer l'animal dans le tunnel. Il a poussé des cris éperdus, et s'est hâté de décamper à toute vitesse.

— Quelle aventure ! s'exclame Annie. Vous avez eu de la chance qu'il soit revenu tout droit à la ferme !

— Et dire que j'ai été sur le point d'effacer les

lettres de son dos, pensant que c'était une farce !
ajoute l'aîné des Cinq.

— Vraiment ? On l'a échappé belle, déclare le
lieutenant Thomas. Maintenant, dites-moi ce qui
s'est passé au champ d'aviation, quand tout le
monde s'est rendu compte de notre disparition ?

— Vous saviez que vos appareils avaient été
volés ? interroge Mick.

— Je m'en suis douté. J'ai entendu deux
monoplaces quitter la base tandis que, réduits à
l'impuissance, nous étions traînés sur le chemin
qui mène aux grottes.

— Les deux avions ont sombré en mer à
cause du mauvais temps, annonce Grégory. Les
équipes de sauvetage n'ont pas pu retrouver les
pilotes.

— Vraiment ? Mon beau petit prototype !
Quelle perte !

Il reste songeur un bon moment. Jean Dufrêne,
de son côté, semble retrouver ses esprits.

— Comment te sens-tu ? lui demande son
voisin.

— Ça va... assure l'autre d'une voix faible.
On peut reprendre la route, si les garçons veulent
bien m'aider à marcher...

Ils avancent très lentement. Par chance, ils
rencontrent les gendarmes à mi-chemin. Le père
de Grégory leur a téléphoné, et ils sont venus

aussitôt. Ils soutiennent le lieutenant Dufrêne ; le petit groupe se remet en chemin plus gaillardement.

— Pose Dudule par terre, Annie, tu te fatigues inutilement, conseille Mick. On dirait *Alice au pays des merveilles* ! Elle aussi portait un petit cochon !

La fillette se met à rire.

— Je crois bien qu'il s'est endormi, comme le protégé d'Alice. Regarde comme il est mignon ! glousse-t-elle.

— En effet, il paraît tout confiant dans tes bras, constate son frère, amusé.

Enfin, tout le monde arrive à la ferme du Mont-Perdu. M. et Mme Thomas accueillent les rescapés avec des cris de joie et les serrent longuement dans leurs bras. Pendant ce temps, Nicolas, trop petit pour bien comprendre le grave danger auquel ont échappé les jeunes gens, ne pense qu'à reprendre à Annie son animal favori. Il lui parle longuement, le gronde de s'être encore sauvé, puis le pose à terre. Dudule se secoue. Il a bien dormi, et déjà l'envie de se promener le reprend... Il se met à courir en direction de la grange. Son jeune maître le poursuit. La benjamine des Cinq va les chercher et les ramène tous deux.

— Maintenant, nous allons goûter, annonce la

184

fermière. J'ai tout préparé, dans l'espoir que nos aviateurs seraient bientôt de retour parmi nous. Ils doivent mourir de faim ! Tu es vraiment pâle et amaigri, Roland.

Ils s'asseyent tous autour de la grande table. Grégory se place auprès de son cher cousin.

— Maman, s'écrie-t-il les yeux brillants, ce n'est pas un goûter, mais un banquet !

Les deux pilotes, affamés, font allégrement disparaître une énorme quantité de nourriture.

La réunion est des plus gaies. Pour une fois, Nicolas reste bien tranquille. Il se demande pourquoi on ne fait pas la fête tous les jours. Dommage que les gendarmes n'aient pas pu s'arrêter pour profiter de ce goûter ! L'enfant aurait voulu leur poser une foule de questions...

Mais où se trouve Dagobert, pendant ce temps ? Couché aux pieds de Nicolas, en compagnie de Clairon ! Sans attirer l'attention, le petit frère de Grégory prend une part de tarte et la glisse sous la table. Aussitôt il sent un museau frais sur sa main, et le morceau de gâteau lui est doucement enlevé. Dago reçoit sa récompense !

Annie, songeuse, dit tout à coup :

— Je ne peux pas m'empêcher de penser à la pauvre Jeanne, qui pleure peut-être encore, toute seule... Personne ne se soucie d'elle...

— On pourrait aller la voir de temps en temps,

185

suggère Mme Thomas, compatissante. Je mettrai de côté pour elle cette grosse part de tarte aux fraises. Mon fils aîné la lui portera dans la soirée...

— D'accord, maman, c'est une bonne idée ! approuve ce dernier, tout souriant.

Un peu plus tard, M. Thomas propose aux aviateurs de les reconduire à leur base dans sa voiture. Ils doivent s'y rendre au plus tôt. Les enfant les regardent partir.

— On va s'ennuyer en haut du Mont-Perdu, maintenant ! lance Mick. L'aventure est terminée...

— Vous vous trompez, l'interrompt Roland. Je vous promets qu'il va vous arriver quelque chose de très intéressant !

— Quoi ? questionnent les Cinq, d'une seule voix.

— Que diriez-vous d'un petit tour en avion ? Un petit tour que je vous ferais faire moi-même ?

— Super ! s'écrient les vacanciers en chœur, si fort que le lieutenant se bouche les oreilles.

— Moi aussi ! Je viendrai avec vous ! Dudule aussi ! ajoute Nicolas.

— Où est Dudule ? demande l'aviateur en se penchant par la portière. Je veux lui serrer la patte, car il s'est comporté en héros !

— Je ne sais pas où il est, avoue l'enfant, dés-emparé. Il doit...

— ... s'être sauvé ! complètent les enfants dans un éclat de rire.

Dagobert aboie pour participer au concert. Il pose ses pattes sur la portière et lèche la main de Roland.

— Merci, mon vieux, dit le pilote. On n'aurait pas pu se passer de toi non plus ! Au revoir ! À demain ! On ira ensemble se promener au-delà des nuages !

Retrouve toutes les aventures du **C**lub des **C**inq en **B**ibliothèque **R**ose !

1. Le Club des Cinq et le trésor de l'île

2. Le Club des Cinq et le passage secret

3. Le Club des Cinq contre-attaque

4. Le Club des Cinq en vacances

5. Le Club des Cinq en péril

6. Le Club des Cinq et le cirque de l'Étoile

7. Le Club des Cinq en randonnée

8. Le Club des Cinq pris au piège

9. Le Club des Cinq aux sports d'hiver

10. Le Club des Cinq va camper

11. Le Club des Cinq au bord de la mer

12. Le Club des Cinq et le château de Mauclerc

13. Le Club des Cinq joue et gagne

14. La locomotive du Club des Cinq

15. Enlèvement au Club des Cinq

16. Le Club des Cinq et la maison hantée

17. Le Club des Cinq et les papillons

18. Le Club des Cinq et le coffre aux merveilles

19. La boussole du Club des Cinq

20. Le Club des Cinq et le secret du vieux puits

21. Le Club des Cinq en embuscade

22. Les Cinq sont les plus forts

23. Les Cinq au cap des Tempêtes

24. Les Cinq mènent l'enquête

25. Les Cinq à la télévision

26. Les Cinq et les pirates du ciel

27. Les Cinq contre le Masque Noir

28. Les Cinq et le Galion d'or

29. Les Cinq et la statue inca

30. Les Cinq se mettent en quatre

31. Les Cinq et la fortune des Saint-Maur

32. Les Cinq et le rayon Z

33. Les Cinq vendent la peau de l'ours

34. Les Cinq et le portrait volé

35. Les Cinq et le rubis d'Akbar

Table

[]hachette s'engage pour l'environnement en réduisant l'empreinte carbone de ses livres. Celle de cet exemplaire est de :

300 g éq. CO$_2$

Rendez-vous sur www.hachette-durable.fr

PAPIER À BASE DE FIBRES CERTIFIÉES

Photogravure Nord Compo - Villeneuve d'Ascq

Imprimé en Roumanie par G. Canale & C. S.A.
Dépôt légal : septembre 2008
Achevé d'imprimer : février 2016
20.1642.6/11 – ISBN 978-2-01-201642-2
Loi n° 49956 du 16 juillet 1949
sur les publications destinées à la jeunesse